A QUARTA DIMENSÃO

COLEÇÃO *BEST-SELLERS*

DAVID YONGGI CHO

A QUARTA DIMENSÃO

Descobrindo um novo mundo de orações respondidas

Editora Vida
Rua Conde de Sarzedas, 246 — Liberdade
CEP 01512-070 — São Paulo, SP
Tel.: 0 xx 11 2618 7000
atendimento@editoravida.com.br
www.editoravida.com.br
@editora_vida /editoravida

Todas as citações bíblicas e de terceiros foram adaptadas segundo o Acordo Ortográfico da Língua Portuguesa, assinado em 1990, em vigor desde janeiro de 2009.

Editor responsável: Sônia Freire Lula Almeida
Editor-assistente: Gisele Romão da Cruz
Edição: Liege M. S. Marucci e Josemar de Souza Pinto
Revisão: Josemar de Souza Pinto
Revisão ortográfica: Roselene D. Sant'Anna da Silva
Diagramação: Efanet Design
Capa: Arte Peniel

1. edição: jul. 2003
1ª reimp.: maio 2004
2. ed. rev. e atual: jul. 2005
1ª reimp.: mar. 2006
2ª reimp.: maio 2007
3ª reimp.: jan. 2008
4ª reimp.: mar. 2009
5ª reimp.: out. 2009
6ª reimp.: ago. 2010
7ª reimp.: mar. 2011
8ª reimp.: set. 2011
9ª reimp.: jul. 2012
10ª reimp.: jun. 2013
11ª reimp.: maio 2014
12ª reimp.: jan. 2016
13ª reimp.: mar. 2018
14ª reimp.: nov. 2018
15ª reimp.: dez. 2019
16ª reimp.: nov. 2020
17ª reimp.: maio 2021
18ª reimp.: out. 2021
19ª reimp.: fev. 2022
20ª reimp.: jul. 2022
21ª reimp.: mar. 2024
22ª reimp.: jul. 2024

Dados Internacionais de Catalogação na Publicação (CIP)
(Câmara Brasileira do Livro, SP, Brasil)

Cho, David Yonggi
A quarta dimensão: descobrindo um novo mundo de orações respondidas / David Yonggi Cho; tradução Tommy Gene — 2. ed. rev. e atual. — São Paulo: Editora Vida, 2005.

Título original: *The Fourth Dimension.*
ISBN 978-85-7367-180-3

1. Cho, David Yonggi — Discursos, ensaios, conferências 2. Espiritualidade 3. Fé 4. Vida cristã I. Título.

05-4526 CDD 248.4

Índice para catálogo sistemático

1. Vida cristã : Guias : Cristianismo 248.4

Este livro é dedicado a todos os que procuram, esquadrinham e lutam buscando encontrar um caminho de fé consistente pelo qual andar.

Sumário

Prefácio

É uma grande honra escrever o prefácio deste emocionante livro de autoria de meu irmão em Cristo David Yonggi Cho. Sou pessoalmente grato pela força espiritual e por todo o entendimento que recebi de Deus por meio desse grande pastor evangélico.

Estava pregando em sua enorme igreja em Seul, na Coreia, quando recebi um telefonema dizendo que minha filha fora tragicamente ferida em um horrível acidente automobilístico no Estado de Iowa. Rapidamente, minha esposa e eu fomos para o aeroporto, acompanhados do querido amigo David Yonggi Cho, sustentados por suas orações e por seu espírito solidário. Horas depois de chegar em casa, diante da perspectiva de enfrentar horas sombrias ao lado do leito de dor de minha filha, cuja perna esquerda havia sido amputada e cuja vida por pouco escapara da morte, encontrei-me lendo página após página do manuscrito ainda não publicado deste livro que agora, com entusiasmo, tenho a honra de apresentar.

Descobri a realidade dessa dimensão dinâmica da oração que vem mediante a visualização da experiência de cura. Linha após linha do manuscrito original foi sublinhada por este pastor, cansado da viagem, este pai que sofria. Só posso esperar e orar para que muitos cristãos — e não cristãos também! — leiam este livro e absorvam as maravilhosas verdades espirituais contidas em suas páginas.

Não tente compreender. Simplesmente comece a desfrutar o que lê! É verdadeiro. Funciona. Eu experimentei!

Obrigado, David Yonggi Cho, por permitir que o Espírito Santo desse esta mensagem a nós e ao mundo. Deus o ama, e eu também!

ROBERT H. SCHULLER

Introdução

VIDA PLENA E LIBERTA

No caos que se seguiu ao conflito da Coreia, encontrei-me entre os que lutavam pela sobrevivência. Pobre, mas persistente, trabalhava em vários empregos por dia.

Certa tarde, estava dando uma aula particular. Subitamente, senti alguma coisa fluindo de meu peito. Minha boca parecia cheia. Pensei que iria sufocar.

Abri a boca, e o sangue começou a escorrer. Tentei estancar a hemorragia, mas o sangue continuava a jorrar pelo nariz e pela boca. Logo meu estômago e peito encheram-se de sangue. Completamente enfraquecido, desmaiei.

Ao recuperar a consciência, tudo parecia rodar. Trêmulo, mal consegui voltar para casa.

Eu tinha 19 anos de idade e estava morrendo.

VÁ PARA CASA, JOVEM

Assustados, meus pais imediatamente venderam parte de seus bens a fim de levar-me a um bom hospital para tratamento.

Os médicos fizeram exames cuidadosos. O diagnóstico: tuberculose incurável.

Ao ouvir essa declaração, compreendi o quanto desejava viver. Minhas futuras aspirações acabariam antes de eu ter tido a chance de começar a viver.

Desesperado, voltei-me para o médico que dera o diagnóstico sombrio.

— Doutor — implorei — não há nada que o senhor possa fazer por mim?

Sua resposta muitas vezes ressoaria em minha mente.

— Não. Esse tipo de tuberculose é muito rara. Espalha-se tão rapidamente que não há jeito de contê-la. Você tem três, no máximo, quatro meses de vida. Vá para casa, jovem. Coma tudo o que desejar e dê adeus a seus amigos.

Desolado, deixei o hospital. Passei por centenas de refugiados nas ruas e me identifiquei com eles. Sentia-me totalmente só. Eu era um dos que não tinha esperança.

Voltei para casa num estado mental de total confusão. Pronto para morrer, pendurei um calendário de três meses na parede. Por ter sido criado no budismo, orava diariamente para que Buda me ajudasse. Nenhuma esperança resultava disso, e a cada dia que passava eu ficava pior.

Percebendo que meu tempo de vida se encurtava, desisti da fé em Buda. Foi então que comecei a clamar ao Deus desconhecido. Mal sabia eu do grande impacto que sua resposta teria sobre minha vida.

LÁGRIMAS COMOVENTES

Alguns dias mais tarde, uma garota da escola veio visitar-me e começou a falar de Jesus Cristo. Contou-me do nascimento virginal de Jesus, de sua morte na cruz, de sua ressurreição e da salvação mediante a graça. Essas histórias pareciam não fazer sentido para mim. Não aceitava o que ela dizia nem prestava muita atenção a essa jovem ignorante. Quando ela foi embora, o único sentimento que tive foi de alívio.

Mas no dia seguinte ela voltou. Voltou várias vezes, e toda vez me perturbava com as histórias a respeito do Deus-homem, Jesus. Depois de mais de uma semana de visitas, fiquei muito agitado e a repreendi asperamente.

Ela não saiu correndo envergonhada nem reagiu com raiva. Simplesmente se ajoelhou e começou a orar por mim. Grandes gotas de lágrimas escorreram pela sua face, refletindo uma compaixão estranha a minhas filosofias e rituais budistas bem organizados e estéreis.

Ao ver suas lágrimas, meu coração ficou profundamente tocado. Vi algo diferente naquela garota. Ela não recitava histórias religiosas para mim, e sim vivia sua fé. Por intermédio de seu amor e lágrimas, pude sentir a presença de Deus.

— Moça — implorei —, por favor, não chore. Sinto muito. Agora reconheço seu amor cristão. Já que estou morrendo, vou me tornar cristão por você.

Sua reação foi instantânea. Seu rosto iluminou-se, e ela louvou a Deus. Apertando-me as mãos, deu-me sua Bíblia.

— Examine a Bíblia — instruiu ela. — Se a ler fielmente, encontrará palavras de vida.

Essa era a primeira vez em minha vida que tinha em mãos uma Bíblia. Lutando com esforço para respirar, abri-a no livro de Gênesis.

Ela sorriu, abrindo a Bíblia no evangelho de Mateus.

— O senhor está tão doente que, se começar em Gênesis, acho que não durará o tempo suficiente para terminar o Apocalipse. Se começar com o evangelho de Mateus, acho que terá tempo de terminar.

Esperava encontrar profundos ensinamentos morais e filosóficos, mas o que li chocou-me. "Abraão gerou a Isaque; Isaque, a Jacó; Jacó, a Judá e a seus irmãos."

Senti-me ridículo. Fechei a Bíblia, dizendo:

— Moça, não vou ler essa Bíblia. É só a história de um indivíduo que gera outro... Preferiria ler uma lista telefônica.

— O senhor não reconhece esses nomes agora — respondeu ela — mas, à medida que continuar a leitura, terão significado especial para sua vida.

Encorajado, comecei a ler a Bíblia de novo.

O SENHOR VIVO

Ao ler, não encontrei filosofias, teorias sistematizadas, ciência médica nem quaisquer rituais religiosos. Encontrei, porém, um tema marcante: a Bíblia constantemente falava a respeito de Jesus Cristo, o Filho de Deus.

A iminência de minha morte levou-me à compreensão de que eu precisava de algo maior do que a religião, mais profundo do que a filosofia e mais alto do que a compaixão pelas tribulações da existência humana. Precisava de alguém que partilhasse minhas lutas e meus sofrimentos e que me desse vitória.

Mediante a leitura da Bíblia, descobri que esse alguém era o Senhor Jesus Cristo:

> Essa pessoa chamada Jesus Cristo não apresentava uma religião, um código de ética nem uma série de rituais. De modo profundamente prático, Jesus trazia a salvação à humanidade. Odiando o pecado, Cristo amava o pecador, aceitando a todos os que a ele se achegavam. Profundamente cônscio de meus pecados, sabia que precisava de seu perdão.
>
> Cristo curou os doentes. Os enfermos vinham a ele, e ele curava a todos os que tocava. Isso trouxe fé a meu coração. Fiquei esperançoso de que pudesse me curar também.
>
> Cristo deu paz aos perturbados. Ele insistia: "Tenham fé em Deus! Não se perturbem! Não há motivo para temor!". Cristo odiava o temor, mostrando que o homem nasceu a fim de viver pela fé. Cristo infundiu confiança, fé e paz aos que foram a ele pedindo ajuda. Essa tremenda mensagem emocionou-me.

> Cristo ressuscitou os mortos. Nunca encontrei um relato na Bíblia em que Cristo tivesse dirigido um culto fúnebre. Ele trazia os mortos de volta à vida, transformando os funerais em magníficas ressurreições.
>
> E o que mais sobressaía em minha mente era a misericórdia de Cristo para com os endemoninhados. Durante a guerra da Coreia, muitas pessoas perderam a família e os negócios. Sofrendo de esgotamento nervoso, muitos se tornaram completamente possessos pelo maligno. Destituídos de abrigo, andavam sem rumo pelas ruas.
>
> Cristo estava pronto até mesmo a enfrentar esse desafio. Expulsou os demônios e restaurou os possessos à vida normal. O amor de Cristo era poderoso; tocava a vida e as necessidades de todos os que vinham a ele.

Convencido de que Cristo Jesus estava vivo e movido pela vitalidade de seu ministério, ajoelhei-me. Pedi que Cristo entrasse em meu coração e me salvasse, que me curasse e me livrasse da morte.

Instantaneamente, a alegria da salvação e a paz do perdão de Cristo me envolveram. Sabia que estava salvo. Cheio do Espírito Santo, levantei-me e gritei: "Glória seja dada ao Senhor!".

Desse momento em diante, li a Bíblia como quem, morrendo de fome, devora sua comida. A Bíblia provia fundamento para toda a fé que eu necessitava. A despeito do prognóstico e dos antigos sentimentos de medo, logo fiquei sabendo que iria viver. Em vez de morrer dentro de três meses, levantei-me do leito da morte em seis.

Desde esse dia, tenho pregado o evangelho dinâmico de Jesus Cristo. A garota, cujo nome jamais vim a saber, ensinou-me o nome mais precioso que conheci.

Através dos anos, Deus tem me ajudado a compreender vários princípios importantes de fé. São os que vou partilhar com você nos capítulos a seguir, para que entre numa dimensão mais profunda e numa vida mais abundante.

Cristo jamais muda. Ele é o mesmo ontem, hoje e para sempre.

Cristo deseja carregar seus fardos. Jesus pode perdoar-lhe e curá-lo. Pode expulsar Satanás e dar-lhe confiança, fé e paz.

Cristo deseja dar-lhe a vida eterna e fazer parte de seu viver diário. O ladrão vem para matar e destruir; Jesus Cristo vem para dar vida, abundante e livre.

Mediante a presença do Espírito Santo, Jesus está com você neste instante. Cristo deseja curá-lo e libertá-lo da morte. Ele é o Senhor vivo. Coloque sua fé em Jesus Cristo e espere um milagre hoje.

Incubação: uma lei da fé

Deus jamais produzirá alguma de suas grandes obras senão por meio da fé que deu a você. Supõe-se que você tenha fé porque a Bíblia diz que Deus deu a todos nós uma medida de fé. Você deve ter um pouco de fé, quer o sinta quer não. Pode ser que você tente sentir sua fé, e, no momento em que dela precisar, ela se fará presente. Estará disponível para seu uso, como o possuir dois braços. Quando necessita deles, é só movê-los e usá-los. Não é necessário sentir que meus braços estão presos a meus ombros para saber que os possuo.

Há, contudo, certos modos pelos quais sua fé opera e o liga ao Pai celestial, que habita em você. A Bíblia diz que a fé é a substância das coisas que esperamos, substância que possui uma primeira etapa de desenvolvimento — de incubação — antes que seu uso possa ser completo e eficaz. Talvez você pergunte: "Quais são os elementos necessários para colocar minha fé em ação?". Há quatro passos básicos no processo da incubação.

VISÃO DE UM OBJETIVO DEFINIDO

Primeiro, a fim de pôr em prática sua fé, é preciso ter a visão de um objetivo definido. A fé é a substância das coisas — coisas nítidas — que se esperam. Se tiver uma ideia vaga de sua meta, não haverá comunicação com aquele que pode responder à sua oração. É preciso ter uma meta clara e definida. Aprendi essa lição de uma maneira muito especial.

Já estava no ministério pastoral havia alguns meses e era tão pobre que não possuía bem material algum. Era solteiro e vivia num quarto pequeno. Não tinha escrivaninha, nem cadeira, nem cama. Comia no chão, dormia no chão e estudava no chão. Tinha de andar quilômetros todos os dias para desempenhar meu ministério de ganhar almas.

Mas um dia, enquanto lia a Bíblia, fiquei tremendamente impressionado com as promessas de Deus. A Bíblia dizia que, se tão somente eu colocasse minha fé em Jesus e orasse em seu nome, receberia tudo o que pedisse. A Bíblia também me ensinava que eu era filho de Deus, filho do Rei dos reis e Senhor dos senhores!

Assim, orei dizendo: "Pai, por que deve um filho do Rei dos reis e Senhor dos senhores viver sem escrivaninha, sem cadeira, sem cama e andar a pé quilômetros todos os dias? Pelo menos, eu poderia ter um escritório humilde, uma cadeira na qual sentar e uma bicicleta simples, a fim de sair para fazer visitas". Achava que, segundo as Escrituras, era possível pedir essas coisas ao Senhor. Ajoelhei-me e orei: "Pai, agora estou orando. Por favor, envia-me uma escrivaninha, uma cadeira e uma bicicleta". Coloquei toda a minha fé no pedido e dei graças a Deus.

A partir desse momento, comecei a esperar a entrega dessas coisas. Passou um mês, e não recebi resposta alguma. Passaram dois, três, quatro, cinco, seis meses e ainda continuava a esperar; nada acontecia. Certo dia chuvoso, eu estava realmente deprimido. Não tinha comido nada, estava com muita fome, cansado, deprimido e *comecei a reclamar*: "Senhor, eu lhe pedi uma escrivaninha, uma cadeira e uma bicicleta vários meses atrás, e o Senhor não me deu nenhuma dessas coisas. O Senhor vê que estou pregando o evangelho às pessoas pobres deste bairro pobre. Como posso lhes pedir que exercitem a fé quando eu mesmo não sou capaz de fazê-lo? Como lhes pedir que coloquem a fé no Senhor e vivam pela Palavra, e não pelo pão?

"Meu Pai, sinto-me tão desanimado... Não estou muito certo disso, mas sei que realmente não tenho como negar a Palavra de Deus. A Palavra deve permanecer, e tenho certeza de que o Senhor me responderá, mas desta vez simplesmente não tenho certeza de quando nem como. Se responder à minha oração depois que eu morrer, de que me servirá isso? E, se responder a minha oração, faze-o depressa, por favor!".

Então, me sentei e comecei a chorar. Subitamente, senti uma serenidade, uma tranqüilidade invadindo a minha alma. Toda vez que me vem esse tipo de sentimento da presença de Deus, ele sempre fala comigo, de modo que esperei. Aquele sussurro suave ecoou em minha alma e em meu espírito, dizendo: "Meu filho, ouvi sua oração muito tempo atrás".

Exclamei abruptamente: "Então, onde estão minha escrivaninha, minha cadeira e minha bicicleta?".

Disse-me o Espírito: "Sim, esse é seu problema, e o problema de todos os meus outros filhos. Imploram exigindo todo tipo de coisas, mas o fazem com termos tão vagos que não posso responder. Será que não sabe que há dezenas de tipos de escrivaninha, de cadeira e de bicicleta? E você me pediu uma escrivaninha, uma cadeira e uma bicicleta. Não pediu uma escrivaninha específica nem uma cadeira e bicicleta específica".

Esse foi um ponto crítico de minha vida. Nenhum professor do instituto bíblico me havia ensinado essas coisas. Meu erro resultou em um abrir de olhos para mim.

Assim, eu disse: "O Senhor, realmente deseja que eu ore em termos específicos?".

Dessa vez, o Senhor me levou a Hebreus, capítulo 11: "... a fé é a certeza daquilo que esperamos...", coisas bem específicas.

Ajoelhei-me de novo e disse: "Pai, sinto muito. Cometi um grande erro e compreendi mal. Cancelo todas as minhas orações passadas. Começarei tudo de novo".

Em seguida, dei o tamanho da escrivaninha, que deveria ser de mogno das Filipinas. Queria o melhor tipo de cadeira, uma cadeira de escritório, de aço, com rodinhas, para que pudesse me mover de um lado para o outro, como um manda-chuva.

Falei, depois, da bicicleta. Dei muita atenção a esse assunto, porque há tantos tipos de bicicletas: coreanas, japonesas, chinesas, alemãs... Mas naquela época as bicicletas coreanas e japonesas geralmente eram muito fraquinhas, e eu queria uma bicicleta forte e maciça. Como as bicicletas de fabricação norte-americana são muito boas, orei dizendo: "Pai, desejo uma bicicleta fabricada nos Estados Unidos, com algumas marchas, para que eu possa regular a velocidade".

Encomendei essas coisas em termos tão específicos que Deus não poderia cometer erro algum ao entregá-las. Realmente senti a fé fluir do coração e regozijei-me no Senhor. Nessa noite, dormi como uma criança.

Mas ao despertar às 4h30 da manhã seguinte, a fim de preparar-me para a reunião de oração matinal, repentinamente descobri que meu coração estava vazio. Na noite anterior, tinha toda a fé que há no mundo, mas, enquanto dormia, a fé bateu asas e me deixou. Não sentia nada no coração. Então eu disse: "Pai, isso é terrível. Uma coisa é ter fé, mas é totalmente diferente conservar essa fé até receber a resposta".

Esse é um problema comum a todos os cristãos. Podem escutar por algum tempo um pregador excelente e ter toda a fé que há no mundo enquanto o ouvem. Mas, antes que voltem para casa, já perderam tudo. Sua fé bate asas e voa.

Nessa manhã, li a Bíblia procurando uma passagem especial para pregar, repentinamente meus olhos se fixaram em Romanos 4.17: "... o Deus que dá vida aos mortos e chama à existência coisas que não existem, como se existissem". Meu coração apegou-se a essa passagem, e ela começou a queimar minhas entranhas. Disse a mim mesmo: "Acho que poderia simplesmente chamar à existência aquelas coisas que não existem como se existissem, como se já as possuísse". Recebi a resposta para o problema de como conservar minha fé.

Corri para a tenda que nos servia de igreja, onde as pessoas já haviam começado a orar, e, depois de cantarmos alguns hinos, comecei a pregar. Expus-lhes essa passagem bíblica e disse:

— Irmãos, pela bênção de Deus, já tenho uma escrivaninha de mogno das Filipinas, uma linda cadeira de aço com rodinhas e uma bicicleta com marchas de fabricação norte-americana. Louvado seja o Senhor! Já recebi todas essas coisas!

As pessoas ficaram me olhando de boca aberta, pois sabiam que eu era totalmente pobre, e lá estava eu me gabando de ter essas coisas. Não podiam acreditar no que ouviam.

Pela fé, realmente louvava a Deus, fazendo justamente o que a Palavra de Deus ordena.

Depois do culto, enquanto saía, três rapazes me seguiram e disseram:

— Pastor, queremos ver suas coisas.

Fiquei apavorado, porque não tinha contado com a possibilidade de ter de mostrar minhas coisas. Todos os membros da igreja moravam em um dos bairros mais pobres e, se percebessem que seu pastor havia mentido, meu ministério estaria terminado ali mesmo. Os jovens não estavam dispostos a voltar atrás. Achava-me em uma terrível situação, e comecei a orar: "Senhor, desde o princípio isso não foi ideia minha, a ideia foi sua. Simplesmente obedeci e agora estou em apuros. Conversei com eles como se fosse dono das três coisas. Que explicação posso dar agora? O Senhor precisa me ajudar, como sempre faz".

Então o Senhor veio ao meu auxílio. Uma ideia começou a flutuar em meu coração, de modo que lhes disse resolutamente:

— Venham ao meu quarto e verão.

Todos foram e começaram a olhar ao redor procurando a bicicleta, a escrivaninha e a cadeira. Então eu lhes disse:

— Não procurem essas coisas agora. Vou mostrá-las mais tarde.

Apontei o dedo para o senhor Park, hoje pastor de uma das maiores igrejas Assembleia de Deus na Coreia, e disse:

— Vou lhe fazer algumas perguntas. Se puder respondê-las, mostro-lhe todas essas coisas. Quanto tempo ficou no ventre de sua mãe antes de vir ao mundo?

Ele coçou a cabeça e disse:

— Bem, nove meses...

— O que fez durante esses nove meses no ventre de sua mãe? — perguntei então.

— Cresci.

— Mas — prossegui — ninguém o via.

— Ninguém podia me ver, porque eu estava dentro de minha mãe.

— Mesmo no ventre de sua mãe — eu disse — você já era o bebê que nasceu neste mundo. Respondeu corretamente. Na noite passada, ajoelhei-me aqui e orei ao Senhor pedindo a escrivaninha, a cadeira e a bicicleta e, pelo poder do Espírito Santo, concebi essas coisas. É como se estivessem dentro de mim, crescendo neste momento. Verdadeiras escrivaninha, cadeira e bicicleta como quando vocês verão na época de sua entrega.

Eles começaram a rir até não poder mais. Disseram:

— Esta é a primeira vez que vimos um homem grávido de uma bicicleta, uma escrivaninha e uma cadeira — e, saindo do meu quarto, começaram a espalhar por toda a cidade a novidade de que o pastor estava grávido de uma bicicleta, uma cadeira e uma escrivaninha. Eu mal podia andar pela cidade; as mulheres se juntavam olhando para mim e davam risadinhas. Alguns jovens travessos de minha igreja chegavam a mim no domingo, pegavam na minha barriga e diziam:

— Pastor, quantos meses faltam?

Mas todos aqueles dias eu sabia que tinha tais coisas crescendo dentro de mim. Leva tempo, assim como a mãe leva tempo para dar à luz o filho. Sem dúvida alguma, as coisas que você pediu hoje levarão algum tempo para chegarem, mas você já está grávido delas, e no devido tempo as terá.

Louvava ao Senhor constantemente, e, no tempo devido, as três coisas chegaram. E chegaram exatamente como encomendadas: a escrivaninha era de mogno das Filipinas, a cadeira era japonesa, fabricada pela companhia Mitsubishi, e tinha rodinhas para que eu pudesse me mover, e a bicicleta, de segunda mão, era norte-americana e possuía várias marchas. Pertencera ao filho de um casal de missionários norte-americanos.

Trouxe para casa essas três coisas que tinha esperado tanto tempo, e isso mudou por completo minha maneira de orar.

Até então, orava em termos vagos; mas, desse dia em diante, jamais orei assim. Se Deus respondesse a suas orações vagas, você jamais reconheceria seu pedido como sendo resposta de Deus. Deve pedir de modo definido e específico.

O Senhor não se agrada de orações vagas.

O cego Bartimeu, filho de Timeu, sentado à beira do caminho por onde Jesus passava, clamou:

— Filho de Davi, tem misericórdia de mim!

Embora todo mundo soubesse que ele estava pedindo a cura de sua cegueira, Cristo perguntou:

— O que você quer que eu lhe faça?

Cristo deseja pedidos específicos. Disse Bartimeu:

— Senhor, eu quero ver.

— Recupere a visão! A sua fé o curou — Jesus respondeu.

Os olhos de Bartimeu foram abertos.

Mas até que ele pedisse especificamente a cura de sua cegueira, Cristo não pronunciou a cura. Ao trazer sua petição ao Senhor, venha com um pedido específico, com um objetivo definido, com uma meta clara.

Certa vez, visitava uma igreja, e, depois da pregação, a esposa do pastor pediu-me que fosse ao escritório. O pastor me perguntou:

— Cho, você poderia orar por esta senhora?

— De que necessita ela? — perguntei.

— Bem, ela deseja se casar e ainda não encontrou marido.

— Peça que ela entre.

Uma mulher solteira, de mais de 30 anos, entrou. Perguntei-lhe:

— Irmã, por quanto tempo tem orado pedindo um marido?

— Por mais de dez anos — respondeu ela.

— Por que Deus não respondeu à sua oração nesses dez anos? — perguntei. — Que tipo de marido tem pedido a Deus?

— Bem, isso fica com Deus. Ele sabe de tudo... — respondeu ela sacudindo os ombros.

— É esse seu erro. Deus jamais age assim por si mesmo, mas somente por nosso intermédio. Deus é a fonte eterna, mas ele somente opera por meio de nossos pedidos. Você realmente deseja que eu ore em seu favor?

— Sim.

— Muito bem, traga-me papel e lápis e sente-se à minha frente.

Ela se sentou, e eu disse:

— Se escrever as respostas a minhas perguntas, orarei por você. Pergunta número um: você deseja mesmo um marido, mas que tipo de marido quer: branco, asiático ou negro?

— Branco.

— Muito bem. Escreva isso. Número dois: deseja que seu marido tenha 1,80m de altura ou ele pode ser mais baixo?

— Oh, desejo um marido alto.

— Escreva isso. Número três: deseja que seu marido seja esbelto e de boa aparência ou simplesmente agradável e gordo?

— Quero que seja magro.

— Escreva: magro. Número quatro: que tipo de passatempo deseja que seu marido tenha?

— Bem, gostaria que fosse musical.

— Muito bem. Escreva: musical. Número cinco: que profissional você quer que seu marido seja?

— Professor.

— Muito bem. Escreva: professor.

Fiz mais ou menos dez perguntas e, em seguida, disse:

— Por favor, leia a sua lista em voz alta.

Ela leu todos os pontos, de 1 a 10, em voz alta. Então eu disse:

— Feche os olhos. Você pode ver seu marido agora?

— Sim, posso vê-lo claramente.

— Muito bem. Vamos encomendá-lo agora. Enquanto não vir seu marido claramente com os olhos da imaginação, não pode fazer o pedido porque Deus jamais responderia. É preciso que o veja claramente antes de começar a orar. Deus nunca responde a orações vagas.

Ela se ajoelhou, e eu impus as mãos sobre ela.

"Ó Deus, agora ela conhece o marido que deseja. Vejo seu marido. O Senhor conhece o marido dela. Pedimos que o traga em nome de Jesus Cristo." Continuei, dirigindo-me a ela:

— Irmã, leve este pedaço de papel para casa e cole-o no espelho. Todas as noites, antes de ir para a cama, leia esses dez pontos em voz alta, e todas as manhãs, ao se levantar, leia em voz alta esses dez pontos e louve a Deus pela resposta.

Um ano depois, quando eu estava passando por aquela cidade novamente, a esposa do pastor me telefonou. Disse ela:

— Pastor, será que o senhor pode vir almoçar conosco?

— É claro que posso.

Fui almoçar com eles. Assim que cheguei ao restaurante, ela disse:

— Ela se casou! Ela se casou!

— Quem é que se casou?

— Lembra-se daquela moça por quem o senhor orou? Aquela a quem o senhor pediu que escrevesse os dez pontos? Ela se casou!

— Sim, agora me lembro. O que aconteceu?

— Naquele verão, um professor de música de um colégio veio à igreja com um quarteto para realizar um reavivamento de uma semana. Ele era solteiro, e todas as moças estavam loucas por ele.

Elas o assediavam, mas ele não lhes dava a menor atenção. Entretanto, ficou fascinado por aquela moça. Estava sempre com ela e, antes de ir embora, pediu-a em casamento. Ela, sem muita relutância, aceitou. Casaram-se naquela igreja, para a alegria de todos, e no dia de seu casamento a mãe dela pegou aquele pedaço de papel, leu os dez pontos para a congregação, rasgando-o em seguida.

Parece história, mas realmente é assim que funciona. Desejo lembrar-lhe uma coisa: Deus está dentro de você. Deus nunca opera nada que se refira à sua vida independentemente de você. Deus só operará mediante seu pensar e sua fé. Assim, sempre que desejar receber respostas do Senhor, apresente objetivos claros.

Não diga: "Ó Deus, abençoa-me, abençoa-me!".

Você sabe quantas bênçãos a Bíblia contém? Mais de 8 mil promessas. Se você disser: "Ó Deus, abençoa-me", Deus poderá perguntar: "Das 8 mil promessas da Palavra, qual é a bênção que você deseja?".

Portanto, seja bem definido. Pegue um caderno, anote, vislumbre sua meta claramente.

Sempre pedi que Deus concedesse um reavivamento à minha igreja segundo um número definido. Em 1960, comecei a orar: "Deus, dá-me mil membros todos os anos".

Até 1969, mil membros foram acrescentados à igreja todos os anos.

Mas em 1969 mudei meu coração. Pensei: "Se Deus pode dar mil membros por ano, por que não pedir que me dê mil por mês?". De modo que, desde 1970, comecei a orar: "Pai, dá-me mil membros por mês".

Em princípio, Deus me deu 600, depois começou a me dar mais de mil por mês. No ano anterior, recebemos mais de 12 mil membros em nossa igreja. No ano seguinte, elevei meu alvo e esperamos ter 15 mil novos membros; no próximo ano, posso facilmente pedir 20 mil. Quem tem um pedido definido, e realmente o visualiza, será capaz de consegui-lo.

Na época em que estava construindo o templo da igreja, com capacidade para 10 mil pessoas, mesmo antes de os construtores assentarem o concreto dos fundamentos, podia vê-lo claramente em minha imaginação. Andei centenas de vezes pelo edifício e senti a presença magnífica do Espírito Santo ali. Senti a magnitude daquela igreja, e minha alma se emocionou. Você deve ter uma visão tão viva e bem delineada daquilo que deseja de modo a ser capaz, de fato, de senti-lo em suas emoções. Se não exercitar essa lei da fé, jamais conseguirá uma resposta a tudo o que pedir.

Agora, em minhas orações, sempre tento ver com clareza meus objetivos. Desejo vislumbrá-los com tamanha vivacidade que sinta na alma a emoção deles. Só então, essa primeira condição é cumprida.

TENHA UM DESEJO ARDENTE

Em segundo lugar, se você já tem uma imagem vívida do que deseja, deve também possuir um desejo ardente de alcançar esses objetivos. Muita gente ora casualmente: "Deus, responde à minha oração" e, antes de sair da igreja, já se esqueceu das coisas pelas quais orou. Esse tipo de atitude jamais trará a fé nem a resposta de Deus. É preciso ter um desejo ardente.

Provérbios 10.24 diz: "... o que os justos desejam lhes será concedido". Salmo 37.4 diz: "Deleite-se no SENHOR, e ele atenderá aos desejos do seu coração". Você precisa ter um anelo ardente por um alvo e deve continuar vendo esse alvo cumprido.

Quando comecei meu ministério em 1958, tinha um desejo ardente em minha alma, uma meta ardente de construir a maior igreja da Coreia. Esse desejo ardia dentro de mim, tanto que eu vivia com ele, dormia com ele e andava com ele. Agora, depois de vinte anos, ouço dizer que minha igreja é a maior do mundo.

É preciso ter esse anelo ardente no coração. Se não o tiver, então espere e peça que Deus o conceda. Deus não gosta de gente morna, pois é especialista somente nos bem quentes. Se tiver um desejo ardente, então terá resultados.

Em terceiro lugar, você deve ter a substância ou a segurança. No grego, substância é *hypostasis*. Essa palavra pode significar "título ou papel legal". Quando se tem uma meta bem definida e um desejo ardente no coração, que chega ao ponto de ebulição, é possível ajoelhar e orar até conseguir a substância ou segurança.

Um dia em que eu pregava no Havaí, uma japonesa me perguntou quanto tempo deveria orar a fim de adquirir a substância. Disse-lhe que, às vezes, são necessários somente alguns minutos e que, se ela conseguisse a substância ou segurança nesse instante, não precisaria orar mais.

— Às vezes — disse-lhe — pode levar dois minutos, duas horas, duas semanas, dois meses ou dois anos; todavia, qualquer que seja o tempo que leve, a pessoa deve orar até que consiga a substância.

Os ocidentais vivem às voltas com o problema de viver organizados dentro de um horário apertado. Tudo é correria. Logo, não têm tempo para passar com a família, para visitar os amigos nem mesmo para ficar quietos perante o Senhor. Tudo tem de ser instantâneo: café da manhã instantâneo, comida pré-cozida, alimentos enlatados, café solúvel instantâneo. Tudo tem de estar pronto em menos de cinco minutos. De modo que, quando vão à igreja, oram dizendo: "Ó Deus, responde-me. Não tenho muito tempo... só cinco minutos. E se não responder rápido, esquece". Não esperam no Senhor.

Os norte-americanos converteram as igrejas em lugares de entretenimento enfadonho. Na Coreia, acabamos com isso. Fazemos alguns avisos bem curtos e damos toda a preeminência à Palavra de Deus. Depois da pregação da Palavra, geralmente temos dois ou três números especiais e então concluímos. A Palavra de Deus sempre ocupa o lugar de maior importância no culto.

Certa vez, fui convidado a pregar num culto vespertino em uma igreja no Estado de Alabama, nos Estados Unidos. O culto começou às 19 horas, e com anúncios, cânticos e números especiais foram gastas mais ou menos duas horas. Eu já estava quase dormindo na poltrona. As pessoas também começavam a ficar cansadas. O pastor veio a mim e disse:

— Pregue somente dez minutos esta noite, porque temos um magnífico programa de televisão e gostaríamos que pregasse somente dez minutos.

Viera da Coreia, convidado por eles, para falar somente dez minutos!

Numa igreja como essa, não se pode esperar a plena bênção de Deus. Tal igreja necessita de esperar muito tempo perante o Senhor, o que também é válido para uma pregação sólida da Palavra de Deus. Isso é o que edifica a fé. A pessoa deve esperar na presença do Senhor até conseguir a segurança.

Quando precisei de 5 milhões de dólares para terminar a construção do templo, tive uma visão muito clara, uma meta bem visível e um desejo ardente de ter pronto o edifício com espaço para 10 mil pessoas. Mas meu coração estava cheio de medo. Trêmulo e assustado, não tinha segurança alguma. Esses 5 milhões pareciam uma montanha, e eu era como um coelho amedrontado. Para estrangeiros ricos, 5 milhões de dólares não significam muito, mas para pobres coreanos é uma soma gigantesca. Comecei a orar como quem está à beira da morte. Disse: "Senhor, já começamos a construção. Ainda não temos segurança alguma. E não sei onde conseguir esse dinheiro...".

Comecei a preocupar-me. Passou um mês e ainda não tinha paz nem segurança. Passou o segundo mês e continuava orando até a meia-noite. Saía da cama e ia para um canto chorar, com o coração despedaçado. Minha esposa achou que eu estava ficando louco, mas eu estava era mentalmente cego. Ficava em pé, parado, sem falar nem pensar com a ideia dos 5 milhões de dólares girando na cabeça.

Certa manhã, depois de orar intensamente por três meses, minha esposa me chamou:

— Querido, o café está pronto.

Ao sair do escritório, quase no exato momento em que me sentava à mesa, na sala de jantar, os céus se abriram e uma tremenda bênção foi derramada sobre mim. A substância e a segurança me foram concedidas à alma. Saltei da cadeira e comecei a gritar:

— Consegui! Consegui! Consegui!

Minha esposa saiu correndo da cozinha, e, quando olhei para o seu rosto, percebi que ela estava pálida. Tinha levado o maior susto e, puxando-me de lado, disse:

— Querido, o que aconteceu com você? Você está bem? Sente-se.

— Consegui!

— Conseguiu o quê?

— Consegui 5 milhões de dólares — assegurei-lhe com firmeza.

— Você está realmente louco. Realmente louco — disse ela.

— Mas, querida, tenho esses 5 milhões de dólares dentro de mim. Estão crescendo agora! Ah, estão crescendo dentro de mim!

Subitamente os 5 milhões de dólares tinham se transformado em um pequeno pedregulho na palma de minha mão. Orei com segurança. Minha fé os agarrou, e nada fiz além de lançar mão deles. Eram meus.

Já tinha a substância. Uma vez que a pessoa tem a substância, o título legal, quer veja essas coisas quer não, virão a ser legalmente suas, porque as coisas que pertencem legalmente a alguém têm de chegar a ser suas completamente. De modo que orei até conseguir essa segurança.

Orei todo o primeiro semestre, e Deus me deu a segurança de um total de 50 mil[1] membros em minha igreja. Esses membros estavam dentro de mim, crescendo da mesma maneira que iam crescendo fora de mim. Esse é o segredo: orar até ter a substância, a segurança.

[1] Estatísticas recentes apontam para uma congregação com cerca de 730 mil membros envolvidos em mais de 25 mil grupos de células funcionando nos lares. [N. do E.]

Quarto, é preciso demonstrar fé. A Bíblia diz que Deus ressuscita os mortos. Isso significa que ele realiza milagres, chamando "as coisas que não são como se já fossem".

Abrão era um homem idoso de 100 anos e Sarai, uma senhora de 90. Ambos tinham um desejo muito claro: ter um filho. Sentiam um desejo ardente de ver esse filho e oraram durante 25 anos. Certo dia, Deus lhes fez uma promessa, e, quando tiveram a segurança, o Senhor imediatamente mudou seus nomes: "Não será mais chamado Abrão; seu nome será Abraão, porque eu o constituí pai de muitas nações". [...] "De agora em diante sua mulher já não se chamará Sarai; seu nome será Sara..." (Gn 17.5,15).

Abraão protestou um pouco.

— Pai, as pessoas rirão de mim. Em casa, não temos sequer um gatinho, e o Senhor está dizendo que vai trocar meu nome para pai de numerosas nações e que vai chamar a Sarai de princesa... O povo todo vai dizer que estou louco!

Mas Deus disse:

— Se deseja trabalhar comigo, terá de fazer as coisas do meu jeito. Chamo à existência coisas que antes não existiam, e se você não fala claramente como se já tivesse o que ainda não é, não será da minha categoria.

Assim, Abrão trocou de nome. Chegando-se à esposa, disse:

— Esposa, meu nome foi mudado. Já não sou mais Abrão, mas Abraão, pai de numerosas nações. E você também já não se chamará Sarai, mas Sara.

Nessa mesma noite, Abraão caminhava em direção ao vale. Sara, que já tinha aprontado o jantar, chamou o marido:

— Abraão, a comida está pronta!

Essas palavras ressoaram por todo o povoado.

Os aldeões pararam de trabalhar e olharam uns para os outros:

— Escutem só isso... Está chamando o marido de Abraão, "pai de numerosas nações"! Pobre Sarai, está tão ansiosa por um filho, sendo já velha de 90 anos, que começou a chamar o marido de "pai de numerosas nações"... Deve ter perdido o juízo. Coitada!

Em seguida, ouviram uma forte voz de barítono que dizia:

— Querida Sara, já estou indo!

— O quê? — tornaram a perguntar os aldeões. — Sara, "princesa, mãe de muitos filhos"? Aconteceu a ambos a mesma coisa. Os dois ficaram loucos!

Mas Abraão e Sara não fizeram caso dos comentários dos vizinhos. Chamaram um ao outro de "pai de numerosas nações" e de "princesa". E exatamente como chamaram um ao outro, de acordo com o testemunho da segurança que tinham, tiveram um filho muito formoso, ao qual chamaram Isaque, que significa "riso".

Irmãos e irmãs, desejam ver um sorriso em *seu rosto*? Desejam ver sorrisos nos de sua casa? Desejam ver sorrisos em seu trabalho e em sua igreja? Usem a lei da fé! Então verão o nascimento de muitos "Isaques" em suas vidas.

Os milagres não são produzidos por meio de uma luta realizada às cegas. Há leis no reino espiritual, e você tem no coração recursos inesgotáveis. Deus habita dentro de você, mas ele não fará nada por você a menos que o faça por intermédio de sua própria vida. Deus quer cooperar com você para a obtenção de grandes coisas. Ele é o mesmo, porque Jeová nunca muda. Mas, enquanto a pessoa não mudar, Deus não se manifestará a ela. O Senhor usou Moisés, Josué e outros homens de fé gigantesca. Mas com as mortes de Moisés e Josué e com a falta de homens outros homens como eles, o povo começou a se desviar, e Deus parou de manifestar seu poder.

Deus deseja se manifestar por meio de você hoje, assim como se manifestou por meio de Cristo 2 mil anos atrás. Ele continua tão poderoso quanto antigamente e depende de você. Afirmo que posso construir um templo para 10 mil pessoas na Coreia, no Japão, na Alemanha, nos Estados Unidos ou em qualquer outra parte, porque a visão de uma igreja tão grande não está no exterior, mas no interior da pessoa.

O que é engendrado em seu coração e em sua mente está pronto a se realizar em seu ambiente e em suas circunstâncias. Vigie seu coração e sua mente mais do que qualquer outra coisa. Não procure encontrar a resposta de Deus em outra pessoa, porque essa resposta vem a seu espírito e, por meio de seu espírito, se materializa em suas circunstâncias.

Clame por uma palavra de segurança e a proclame, pois sua palavra se espalha e cria. Deus falou, e todo o universo se formou. Sua palavra é o material que o Espírito Santo usa a fim de criar.

Portanto, ordene, pois isso é muito importante. A igreja hoje perdeu a arte de dar ordens. Nós, cristãos, estamos nos tornando eternos mendigos, pois mendigamos constantemente. Às margens do mar Vermelho, Moisés implorou: "Ó Deus, ajuda-nos! Os egípcios estão chegando!".

Deus repreendeu a Moisés, dizendo:

— Por que você está clamando a mim? Ordene, e as águas do mar se dividirão!

Há tempo de orar, mas também há tempo de dar uma ordem. Você deve orar em seu quarto secreto, mas, ao partir para o campo de batalha, sairá a fim de proferir a palavra de ordem de criação.

Quando lemos a vida de Jesus Cristo, vemos que ele sempre estava dando ordens. Orou a noite toda, mas, ao sair para a linha de frente, ordenou que o povo fosse curado. Ordenou que o mar se acalmasse. Ordenou que demônios saíssem das pessoas.

Seus discípulos fizeram exatamente a mesma coisa: ao paralítico mendicante, Pedro ordenou:

— "Não tenho nem prata nem ouro, mas o que tenho, isto lhe dou. Em nome de Jesus Cristo, o Nazareno, ande!" (At 3.6).

Ao cadáver de uma senhora, Pedro ordenou:

— "Levante-se! Fique em pé!" (At 14.10).

Deram a palavra criadora.

A Bíblia manda curar os enfermos. A Bíblia diz em Tiago: "A oração feita com fé salvará o doente". Deus nos pede claramente que curemos os doentes, de modo que em minha igreja curo os enfermos guiado pelo Espírito Santo. Apresento-me perante os irmãos e clamo:

— Estão curados! Levantem-se!

Peço que a saúde se manifeste, e dezenas e centenas de pessoas recebem a cura.

Alguns meses atrás, estava dirigindo uma reunião na Austrália. Certa noite, cerca de 1 500 pessoas estavam reunidas em um lugar pequeno. Bem à minha frente estava uma senhora numa cadeira de rodas. Ela estava tão deformada que me senti deprimido. Perguntei: "Senhor, por que colocou essa mulher à minha frente? Depois de vê-la, não consigo exercitar a fé". Assim sendo, tentei evitar olhar para ela enquanto pregava. Olhava para outro lado e, de repente, tornava a olhar para ela. Ver aquela mulher foi como água fria derramada em meu coração.

No final do sermão, o Espírito Santo, de repente, falou-me ao coração dizendo: "Desça e levante-a".

Respondi: "Querido Espírito, realmente quer que eu desça e levante a mulher? Ela está tão deformada, e me pergunto se o próprio Jesus seria capaz de levantá-la. Não posso fazer isso. Estou apavorado".

Mas o Espírito Santo disse: "Vá e levante a mulher".

Recusei-me, dizendo: "Oh, não, estou com medo".

Em seguida, comecei a anunciar os tipos de cura que o Espírito Santo me mostrava estar acontecendo nas outras pessoas, mas não naquela mulher. Primeiro foi curada uma senhora cega. Ela estava tão apavorada quando pronunciei sua cura que gritou e caiu desmaiada logo depois de seus olhos se abrirem. Depois disso, as pessoas começaram a ser curadas por todo o auditório. Anunciava as curas sem parar, mas o Espírito Santo continuava a dizer-me: "Desça e levante a mulher".

Respondi: "Pai, ela está deformada demais, e estou com muito medo".

Nos últimos momentos do culto, cedi, e, quando o pastor pediu que todos se levantassem para cantar o hino final, desci e falei sussurrando para que os outros não me ouvissem:

— Senhora, se desejar, pode levantar-se dessa cadeira.

Depois levantei-me e saí apressadamente. Quando me voltei, todos tinham começado a gritar e a bater palmas, pois aquela mulher tinha se levantado de sua cadeira de rodas e começado a andar ao redor do púlpito. Fui tolo, pois, se a mulher tivesse levantado no começo, poderia ter trazido o céu àquele culto; mas estava apavorado.

Muitos me perguntam se tenho o dom da fé ou o dom da cura. Tenho examinado meu coração e até agora não encontrei dom algum em mim. Creio que isso acontece porque é o Espírito Santo que possui os dons; todos os nove dons são dele. Ele habita em nós e em mim. O Espírito Santo manifesta-se por meu intermédio. Eu não possuo os dons; somente o Espírito Santo os possui. Simplesmente lhe obedeço e creio nele.

Que tipo de dom possuo? Vou lhe dizer qual é o único dom que tenho: o dom da ousadia. Com o dom da intrepidez simplesmente saímos pela fé; então o Espírito Santo nos segue. A Bíblia não diz que os sinais seguirão adiante de nós, mas que seguirão depois de nós. É preciso que a pessoa vá na frente para que o sinal possa acontecer. Permaneça na lei de incubação e, por toda a vida, observará sinal após sinal seguindo seu caminho de fé.

Os recursos estão dentro de você, e agora você já conhece os elementos necessários à incubação, a fim de tornar sua fé utilizável. Encontre uma meta e um objetivo claros. Tenha um desejo que queime ao ponto da ebulição. Em seguida, ore até que tenha a substância, a segurança. Depois, comece a proferir a palavra de ordem que recebeu a segurança.

A quarta dimensão

Assim como há certos passos que devemos dar para que nossa fé seja apropriadamente incubada, há também uma verdade central concernente ao reino da fé que necessitamos compreender. A lição mais importante que aprendi acerca da natureza do reino da fé começou como resultado de algo que foi, em princípio, uma experiência desagradável.

Nos Estados Unidos, os pastores não possuem esse tipo de problema, mas no Oriente passei por muitas tribulações ao pregar sobre o poder milagroso de Deus, porque no budismo os monges também fazem milagres fantásticos.

Recentemente, uma coreana estava morrendo de câncer incurável. Todos os médicos que a examinaram disseram que nada poderiam fazer. Ela foi a várias igrejas e também a um monge budista. Esse monge levou-a a uma caverna, onde havia vários budistas orando, e a mulher foi completamente curada. O câncer desapareceu como que por encanto.

Muita gente na Coreia, que pratica ioga, está curando doentes por meio da meditação da ioga. Quando se vai às reuniões dos *sokagakkai* japoneses, podemos ver muitos sendo curados. Alguns, de úlceras no estômago; outros, de surdez ou de mudez, e os cegos recuperam a visão. Os cristãos, especialmente nós, os cristãos pentecostais, temos dificuldade de explicar tais coisas. Não podemos simplesmente dizer que são manifestações do Diabo. Mas se o Diabo pode realizar tais curas, por que a igreja de Cristo não pode fazer muito mais?

Um dia, fiquei muito preocupado. Muitos de nossos irmãos cristãos não davam a devida importância aos milagres de Deus. Diziam eles:

— Como podemos crer em Deus como um ser absolutamente divino? Como podemos chamar Jeová de o único Criador nos lugares celestiais? Podemos ver milagres no budismo, milagres na ioga, milagres entre os *sokagakkai.* Vemos milagres em todas as religiões orientais. Por que vamos aclamar Jeová como o único Criador do Universo?

Mas eu sabia que nosso Deus é o único Deus, o único e verdadeiro Deus, e o Criador do Universo. Assim, reuni todas as perguntas das pessoas e delas fiz um profundo motivo de oração perante o Senhor. Orei e jejuei, buscando a face do Senhor e uma resposta. Então me veio ao coração uma revelação gloriosa e recebi uma explicação clara. Desse dia em diante, comecei a explicar essas coisas por meio de minhas pregações em minha igreja na Coreia. Agora posso dar respostas satisfatórias a quaisquer dessas perguntas. E posso dar explicações claras, tão claras como o sol ao meio-dia. Permita-me explicar.

AS QUATRO DIMENSÕES

Há, no universo, três tipos de espíritos: o Espírito Santo de Deus, o espírito do Diabo e o espírito humano. Quando se estuda geometria, desenhamos dois pontos, um aqui e outro ali. Traçando uma linha reta entre esses dois pontos, a ela damos o nome de primeira dimensão. É justamente isso, uma linha de dois pontos, uma dimensão.

Mas se prosseguirmos acrescentando linha após linha, uma ao lado da outra, numa progressão indefinida, teremos a segunda dimensão: um plano ou uma superfície. E, se amontoarmos plano sobre plano numa sucessão indefinida, teremos o que se chama de terceira dimensão: um cubo. O mundo material e a terra toda pertencem ao universo da terceira dimensão.

A primeira dimensão, a linha, está contida na segunda dimensão, o plano. Portanto é por ela controlada. A segunda dimensão está incluída na terceira, o cubo. Portanto controlada por ela. Quem, pois, cria, contém e controla a terceira dimensão, o mundo cúbico? Você pode encontrar a resposta abrindo a Bíblia em Gênesis 1.2: "Era a terra sem forma e vazia; trevas cobriam a face do abismo, e o Espírito de Deus se movia sobre a face das águas".

Mas, se examinarmos a língua original da Bíblia, esse versículo quer dizer que o Espírito de Deus estava "incubando" sobre as águas, chocando-as. Esse mundo caótico pertence à terceira dimensão. Mas o Espírito Santo, que aqui é representado como incubando sobre a terceira dimensão, pertence à quarta. Do mesmo modo, o reino espiritual da fé pertence à quarta dimensão.

Uma vez que o mundo espiritual abarca a terceira dimensão e sobre ela paira, por essa incubação da quarta dimensão sobre a terceira foi criada a terra. Uma nova ordem surgiu da antiga, e a vida foi tirada da morte; a beleza foi extraída da feiúra; a limpeza, da sujeira; a abundância, da pobreza. Tudo foi criado belo e formoso pela incubação da quarta dimensão.

Então, Deus falou a meu coração: "Filho, assim como a segunda dimensão inclui e controla a primeira, e a terceira inclui e controla a segunda, assim também a quarta dimensão inclui e controla a terceira, produzindo a criação da ordem e da beleza. O espírito é a quarta dimensão. Cada ser humano é um ser espiritual assim como físico. Possui a quarta dimensão e também a terceira em seu coração". Desse modo, os homens, explorando sua fé espiritual na esfera da quarta dimensão, por meio de visões, imaginações e sonhos, podem influenciar a terceira dimensão, produzindo nela mudança. Isso foi o que me disse o Espírito Santo.

Esses iogues e monges budistas podem, portanto, explorar e desenvolver humanamente sua quarta dimensão, sua esfera espiritual. Ao lograr uma visão clara, formar quadros mentais de boa saúde, podem incubar essa saúde sobre os enfermos. Por ordem natural, a quarta dimensão tem poder sobre a terceira, o espírito humano. Com certas limitações, é claro, podem dar ordens e criar coisas. Deus deu ao homem poder sobre a criação. É capaz de controlar o mundo material e de dominar as coisas, responsabilidade que executa mediante a quarta dimensão. Ora, os incrédulos, explorando e desenvolvendo seu ser espiritual interior, podem exercer domínio sobre sua terceira dimensão, que inclui as doenças e enfermidades físicas.

Então, me disse o Espírito Santo: "Veja os *sokagakkai*. Eles pertencem a Satanás. O espírito humano junta-se ao espírito maligno da quarta dimensão, e, com a quarta dimensão maligna, exercem domínio sobre seus corpos e circunstâncias". O Espírito Santo mostrou-me que era dessa forma que os mágicos do Egito exerciam domínio sobre várias ocorrências, assim como Moisés o fazia.

Deus, em seguida, me ensinou que já que podemos ligar a quarta dimensão de nosso espírito à quarta dimensão do Pai celeste — o Criador do Universo — podemos ter mais domínio ainda sobre as circunstâncias. Louvado seja Deus! Seremos capazes de nos tornar fantasticamente criativos e de exercitar grande controle e poder sobre a terceira dimensão.

Depois de receber essa revelação do Senhor, comecei a explicar com facilidade os acontecimentos e milagres de outras religiões. As pessoas, às vezes, me desafiavam:

— Podemos operar os mesmos milagres.

Eu, por minha vez, dizia:

— Sim, sei que podem. É porque vocês têm a quarta dimensão em seu espírito. Estão desenvolvendo o espírito e exercendo domínio sobre o corpo e sobre as circunstâncias. Mas esse espírito não é um espírito que tem salvação. Ainda que possam operar esses milagres, vão para o inferno da mesma forma. Estão ligados à quarta dimensão maligna. A quarta dimensão tem todo o poder de exercer domínio sobre a terceira. Realmente possuem certos poderes limitados, a fim de exercer domínio sobre a terceira dimensão e de influenciar as circunstâncias.

O PAPEL DO INCONSCIENTE

Nos Estados Unidos, vi muitos desses livros de expansão da mente e vejo coisas similares acontecendo aqui por causa da ênfase no inconsciente. O que é o inconsciente? É seu espírito. A Bíblia chama o inconsciente de homem interior, o homem que está escondido em seu coração.

Antes que a psicologia descobrisse o inconsciente, o apóstolo Paulo já o havia descoberto 2 mil anos atrás, quando escreveu a respeito do homem interior, o homem oculto. A Bíblia apresentou essa verdade 2 mil anos atrás. Hoje, cientistas e psicólogos acreditam que fizeram um surpreendente achado e se aprofundam no conceito do inconsciente, tentando orientar sua energia. Embora o inconsciente esteja na quarta dimensão, tendo, portanto, certo poder limitado, há muito engano envolvido no que essas pessoas alegam.

Fiquei espantado quando cheguei aos Estados Unidos e li os livros que alguns pastores norte-americanos me deram. Esses livros haviam quase transformado o inconsciente em um deus todo-poderoso, e isso é um engano enorme. O inconsciente possui alguma influência, mas é bastante limitado e não pode criar o que nosso Deus Todo-poderoso é capaz de fazer. Tenho visto, nos Estados Unidos, a Igreja Unitariana tentar desenvolver o inconsciente, a quarta dimensão do espírito humano, e colocar esse espírito humano no lugar de Jesus Cristo. Isso é, com certeza, grande engano e enorme perigo.

Embora reconheçamos certas realidades e verdades nesses ensinamentos, é também importante perceber que o Diabo ocupa uma quarta dimensão maligna. Nosso Deus, entretanto, é santo, único e todo-poderoso. A quarta dimensão está sempre criando, dando ordem e exercendo domínio sobre a terceira dimensão por meio da incubação. Em Gênesis, encontramos o Espírito do Senhor incubando, pairando sobre as águas. Era como uma galinha que choca seus ovos, que produzem pintainhos. De maneira muito parecida, o Espírito Santo incuba a terceira dimensão, mas também o espírito maligno o faz.

Estava assistindo às notícias pela televisão. Um homem havia sido assassinado, e levantava-se uma grande controvérsia sobre o crime. O advogado de defesa do jovem assassino dizia que a culpa era da influência que os programas de violência da televisão exercem sobre as pessoas. Há certa verdade nisso, pois esse rapaz, depois de ver televisão, começou a exercitar a quarta dimensão. Ele incubava aqueles atos de violência e, naturalmente, chegou o momento em que os colocou em prática.

A LINGUAGEM DA QUARTA DIMENSÃO

Tenho revolucionado meu ministério com a descoberta da verdade da quarta dimensão, e você pode revolucionar sua vida com ela. Ficará espantado ao ver quantas e quão boas coisas podemos incubar em nosso inconsciente. Vivemos em corpos limitados, mas o Espírito Santo pode incubar sobre a terra, por causa de sua onipresença. Estamos limitados pelo espaço e pelo tempo, e nossa única maneira de incubar é por meio de nossa imaginação, mediante nossas visões e nossos sonhos.

É por esse motivo que o Espírito Santo vem a fim de cooperar conosco: para criar, ajudando os jovens a ter visões e os velhos a sonhar sonhos. Por meio de sonhos e visões, saltamos rapidamente as barreiras de nossas limitações e nos esticamos até alcançar o universo. É por isso que a Palavra de Deus diz: "Onde não há revelação divina, o povo se desvia..." (Pv 29.18).

Se você não tiver visão, não será criativo; e se parar de ser criativo, perecerá.

Visões e sonhos são a linguagem da quarta dimensão, e o Espírito Santo comunica mediante eles. Somente por meio de uma visão ou de um sonho é possível visualizar e conceber grandes igrejas, um novo campo missionário, o rápido crescimento de sua igreja. Por meio de visualizações e de sonhos, você é capaz de incubar seu futuro e de obter resultados. Permita-me embasar o que digo em quatro ilustrações bíblicas.

Você sabe por que Adão e Eva caíram da graça? O Diabo sabia que as visões da quarta dimensão na mente da pessoa criam resultados positivos. Ele usou uma tática com base nessa premissa. Convidou a Eva, dizendo:

— Venha ver o fruto da árvore proibida. Olhar não faz mal. Por que você não vem e dá uma olhada?

Uma vez que o simples olhar para o fruto parecia inofensivo, Eva foi e olhou para a árvore. Olhou para ela não somente uma vez, mas continuou a olhar. A Bíblia diz em Gênesis 3.6: "Quando a mulher viu que a árvore parecia agradável ao paladar, era atraente aos olhos e, além disso, desejável para dela se obter discernimento, tomou do seu fruto, comeu-o e o deu a seu marido, que comeu também". Antes de comer do fruto, ela viu a árvore e viu também o fruto em sua imaginação. Brincou com a ideia de comer da árvore e trouxe essa ideia para sua quarta dimensão.

Na quarta dimensão, se cria tanto o bem como o mal. Eva reproduziu a cena da árvore e de seu fruto profundamente em sua imaginação. Visualizando-a em profundidade, achou que poderia ser tão sábia quanto Deus. Sentiu-se como se estivesse embriagada e foi atraída pela árvore; o próximo passo foi tirar o fruto da árvore, comê-lo e compartilhá-lo com o marido. Por meio desse ato, ela caiu.

Se olhar com atenção não fosse importante, por que aplicou o anjo de Deus juízo tão severo à mulher de Ló? Em Gênesis 19.17, diz-nos a Bíblia: "'Fuja por amor à vida! Não olhe para trás...'".

É uma ordem simples: não olhar para trás. Entretanto, ao ler Gênesis 19.26, descobrimos que a esposa de Ló olhou para trás e se transformou em uma estátua de sal. Recebeu essa punição tão severa simplesmente por ter olhado para trás.

Talvez você ache o castigo rigoroso demais, mas, quando se compreende a lei do Espírito, percebe-se que não é. Ao olhar para Sodoma, a visão de toda a cidade se reproduziu em seu interior e atraiu sua imaginação. A cobiça da vida antiga apoderou-se dela, e Deus, assim, a castigou com justo juízo.

Deus tem usado essa linguagem do Espírito Santo para mudar muitas vidas. Observe com cuidado ao ler Gênesis 13.14,15: "Disse o SENHOR a Abrão, depois que Ló separou-se dele: 'De onde você está, olhe para o norte, para o sul, para o leste e para o oeste: porque toda a terra que você está vendo darei a você e à sua descendência para sempre'". "Oh, Abrão, vou lhe dar Canaã. Simplesmente a reivindique!" Não muito especificamente, Deus lhe disse que, de onde estava, olhasse para o norte, para o sul, para o leste e para o oeste, pois ele lhe daria essa terra, a ele e a seus descendentes.

Gostaria que Abrão tivesse um helicóptero para subir bem alto e olhar lá de cima toda a região do Oriente Médio. Assim, muitos problemas que sofre essa região hoje seriam evitados. Uma vez que Abrão não possuía binóculos nem helicópteros, sua visão foi bastante limitada.

Ver é possuir. Abrão viu a terra. Em seguida, voltou para sua tenda, para sua cama, a fim de sonhar com as terras que seriam suas. O Espírito Santo começou a usar essa linguagem da quarta dimensão. O Espírito Santo começou a exercer domínio.

É interessante notar que Abrão gerou seu filho Isaque quando estava com 100 anos de idade e Sarai com 90. Quando Abrão tinha quase 100 anos de idade e Sarai quase 90, Deus apareceu a ele e lhe prometeu um filho. Quando Deus veio a ele e disse: "Você vai ter um filho", Abrão não pôde conter o riso. A tradução coreana da Bíblia diz que Abrão riu tanto que teve dor de barriga. Isso significa que Abrão estava totalmente incrédulo.

Também lemos nas Escrituras que Sarai riu atrás da tenda. Deus perguntou:

— Por que Sara riu...?

— Eu não ri — ela respondeu:

Mas Deus disse:

— Não negue, você riu.

Tanto Abrão como Sarai riram. Ambos não criam. Mas Deus tinha uma maneira de fazê-los crer e usou a quarta dimensão, a linguagem do Espírito Santo. Certa noite, disse Deus a Abrão:

— Venha para fora.

No Oriente Médio, o teor de umidade é muito baixo, de modo que a noite a pessoa pode ver muitas estrelas no céu. Abrão veio para fora, e Deus disse:

— Olhe para o céu e conte as estrelas, se é que as pode contar.

Assim, ele começou a contar as estrelas.

Dizem os cientistas que a olho nu podemos ver 6 mil estrelas. Podemos imaginar Abrão contando e contando até perder várias vezes a conta. Finalmente, teria dito:

— Pai, não consigo contar todas as estrelas.

Então disse o Pai:

— Assim será a sua descendência.

Abrão ficou mudo de emoção. Logo, lágrimas começaram a cair-lhe dos olhos, e sua visão ficou totalmente embaçada. Olhando para as estrelas, a única coisa que conseguia ver era o rosto de seus filhos. De repente, percebeu que os ouvia chamar: "Pai Abraão!". Estava profundamente comovido e tremia ao voltar para a tenda. Não conseguiu dormir ao fechar os olhos, pois via todas as estrelas transformando-se em rostos de seus descendentes, uma vez mais gritando: "Pai Abraão!".

Essas visões vieram à sua mente repetidas vezes e se transformaram em seus próprios sonhos e visões. Essas imagens logo se tornaram parte da sua quarta dimensão, na linguagem das visões e dos sonhos espirituais. Tais visões e sonhos exerceram domínio sobre seu corpo de 100 anos de idade e logo o fizeram ser como um verdadeiro jovem. A partir desse momento, ele creu na palavra do Senhor e louvou a Deus.

Quem poderia mudar tanto a Abraão? O Espírito Santo, pois Deus havia aplicado a lei da quarta dimensão, a linguagem do Espírito Santo. Uma visão e um sonho mudaram não só a mente de Abraão, mas também seu corpo; não somente a ele, mas também sua esposa, que foi maravilhosamente rejuvenescida. Mais adiante na Bíblia, podemos ler que o rei Abimeleque queria tomar Sara por concubina: a Sara de 90 anos de idade, que tinha sido rejuvenescida mediante a lei e a linguagem da quarta dimensão!

Não somos animais comuns. Ao criar-nos, Deus o fez na quarta dimensão, no mundo espiritual. Então disse Deus: "Exerçam domínio sobre a terceira dimensão".

Não exerço meu ministério de ganhar almas simplesmente batendo às portas, lutando e me cansando até a exaustão. Usei o caminho da fé, e minha igreja cresce de maneira fabulosa. Embora minha igreja tenha mais de 50 mil membros arrolados, não tenho muito o que fazer no escritório, pois sigo o caminho da fé e não estou constantemente lutando na carne a fim de realizar coisas que o Espírito Santo pode facilmente fazer.

Aprendi que mesmo ministrando em países estrangeiros, posso entrar na quarta dimensão do Espírito Santo e lhe dizer a necessidade de minha igreja na Coreia, e ele executa essa obra. Telefono para minha esposa a cada dois dias, e às vezes ela golpeia meu ego com as informações que me dá. Pensava que os membros de minha igreja estariam ansiosos para que eu voltasse do exterior e esperando por mim; tinha certeza de que a frequencia no culto do domingo de manhã cairia. Mas minha esposa dizia:

— Não se gabe disso. A igreja está indo cada vez melhor, mesmo sem você.

APLICANDO A LEI DA QUARTA DIMENSÃO

Se Deus pôde usar Abraão a fim de possuir a terra por meio da quarta dimensão miraculosa, e se Deus pôde rejuvenescer Abraão e Sara mediante a linguagem dos sonhos e das visões do Espírito Santo, então você também pode operar na quarta dimensão.

A Bíblia, em Gênesis 30.31-43, registra uma linda história a respeito de Jacó. Jamais gostei da porção das Escrituras nos versículos 37 a 39 em que Jacó arrumou as coisas de tal maneira que ovelhas de uma só cor teriam crias de pelo salpicado e malhado.

Perguntava: "Senhor, por que permite essa superstição na Bíblia? É por isso que os modernistas ficam criticando a Bíblia, chamando-a de histórias da carochinha".

Assim, quando chegava a essa parte das Escrituras, eu a pulava, temendo e preocupado de que houvesse uma parte da Palavra na qual não pudesse confiar. Certo dia, enquanto lia a Bíblia, sob a unção do Espírito Santo, de novo cheguei a esses versículos e disse: "Vou saltar esta parte. Isso não passa de superstição...".

Mas o Espírito Santo disse: "Espere um instante. Nada da verdade bíblica é superstição. O caso é que você não compreendeu ainda. Está cego, mas aplico nesse trecho a lei especial da criação. Observe bem".

Então me veio uma tremenda revelação da verdade, e isso acrescentou uma nova dimensão ao meu ministério. Se a pessoa não usar as mesmas leis milagrosas da fé, é inútil esperar ver mil novos membros na igreja todos os meses. Seus esforços pessoais, à parte da obra da quarta dimensão, jamais produzirão esses resultados.

Nessa época de sua vida, Jacó, o usurpador, tinha ido morar na casa do tio, Labão. Mas o tio mudou seu salário tantas vezes que ele estava sendo passado para trás; Jacó, por sua vez, também enganava o tio. Enganavam-se mutuamente. Quando Jacó completou 40 anos de idade, nada tinha de posses materiais, a não ser um punhado de esposas e de filhos e o desejo de construir um lar.

Deus teve compaixão de Jacó e lhe mostrou uma parte do segredo da quarta dimensão. Depois de receber essa revelação do Senhor, Jacó achegou-se a seu tio, dizendo:

— Tio, trabalharei para o senhor sob esta condição: o senhor pode tirar do rebanho todos os animais salpicados e malhados; cuidarei somente dos animais de uma só cor. Se, de alguma forma, esses animais parirem filhotes salpicados e malhados, esses serão meu salário.

O tio de Jacó quase deu um pulo. Pensou consigo mesmo: "Vejam só, esse camarada está enganando até a si mesmo agora... Esses animais de uma só cor têm a mínima chance de parir filhotes salpicados e malhados. Vou ter seu serviço sem lhe pagar salário algum!".

De modo que o tio de Jacó lhe disse:

— Sim, sim. Isso é maravilhoso! Farei esse contrato com você.

Tirou, assim, Labão, todos os animais salpicados e malhados do rebanho e os levou a uma grande distância, deixando Jacó somente com os animais de uma só cor. Jacó foi às colinas, *cortou* varas de álamo, de aveleira e de plátano e lhes removeu a casca, nelas abrindo riscas. Em seguida, fez uma cerca dessas varas salpicadas e malhadas e as colocou em frente do rebanho, nos canais de água e nos bebedouros, onde os rebanhos vinham para beber água, e concebiam quando vinham a beber.

Ali ficava Jacó dia após dia observando os animais em frente daquelas varas salpicadas e malhadas. A Bíblia diz que, logo depois, aqueles animais davam crias listradas, salpicadas e malhadas.

Deus criou uma visão e um sonho na mente de Jacó. Antes, seu inconsciente era povoado de pensamentos de pobreza, de fracasso e de trapaça, de modo que sua luta era difícil e suas recompensas, poucas. Mas Deus mudou a imaginação de Jacó, seu inconsciente, usando essa cerca de varas malhadas e salpicadas como material para ajudá-lo a visualizar e a sonhar.

Jacó olhou tanto para aquela cerca que sua mente se encheu da visão; dormia e sonhava com as ovelhas dando crias malhadas e salpicadas. No capítulo seguinte, lemos que as ovelhas deram crias malhadas e salpicadas. A imaginação do homem tem grande papel na quarta dimensão. Os animais não são capazes de imaginar como o ser humano, porque a imaginação é obra do espírito.

Quando Jacó começou a apreender essa visão e o sonho de ovelhas malhadas e salpicadas no coração e na imaginação, passou a aprender a linguagem do Espírito Santo. Só podemos conversar com outra pessoa mediante uma língua conhecida, jamais numa língua desconhecida.

Quando Jacó começou a aprender a linguagem do Espírito Santo, imediatamente passou a conversar com o Espírito, e ele começou a agir. O Espírito Santo apertou os botões adequados para ativar os genes necessários, e as ovelhas de Jacó começaram a dar crias malhadas e salpicadas. Logo Jacó começou a ter uma multidão de animais malhados e salpicados e se tornou um dos homens mais ricos do Oriente.

Há mais de 8 mil promessas na Bíblia, e cada uma delas é como uma vara malhada e salpicada para você. Não é necessário sair agora para ir cortar varas de álamo, de aveleira e de plátano. Em vez disso, tome as promessas da Bíblia, todas essas malhadas e salpicadas que esperam por você. Essas promessas, contudo, são um pouco diferentes, pois são todas malhadas e salpicadas pelo sangue de Jesus Cristo.

Muito tempo depois de Jacó, Deus levantou um madeiro manchado e salpicado. Ele o ergueu no Calvário. Não foi manchado nem salpicado com uma faca, mas, sim, com o sangue real do Filho de Deus. Qualquer pessoa pode vir e olhar para esse madeiro manchado e receber uma nova imagem, um novo sonho e uma nova visão, pelo poder do Espírito Santo, e ser mudada.

Agora permita que eu partilhe com você algo de minha experiência pessoal. Certa véspera de Natal, estava ocupado preparando o sermão para o culto. Mais tarde, logo nas primeiras horas da manhã do dia de Natal, recebi um chamado telefônico urgente. Um homem, chamando do Hospital Nacional de Seul, perguntou:

— O senhor é o pastor Cho?

— Sim, sou.

— Um dos membros de sua igreja está morrendo. Sofreu um acidente. Foi acolhido por um táxi, e o motorista colocou-o no assento de trás e rodou com ele a manhã toda.

Naquela época, na Coreia, se alguém fosse atropelado e morto por um táxi, o motorista teria de pagar a quantia de 2.500 dólares e, assim, ficaria livre de toda obrigação financeira. Mas, se a vítima ficasse somente ferida, o motorista teria de pagar todas as despesas médicas e hospitalares. De modo que, se o motorista atropelasse alguma pessoa e ninguém testemunhasse o ocorrido, ficava rodando com o carro até que a vítima morresse; assim ficaria mais barato.

Esse membro de minha igreja havia comprado um lindo chapéu e algumas outras coisas para a esposa. Estava tão empolgado com a alegria de dar esses presentes que não prestou atenção ao sinal vermelho e foi atropelado por um táxi. Era tarde da noite, e ninguém testemunhou o acidente, por isso o motorista do táxi ficou andando com a vítima do atropelamento em seu carro a noite inteira, sem que ela morresse. Finalmente, um policial deteve o táxi e levou o homem para o hospital. O impacto tinha prejudicado muito seus intestinos, e seu estômago estava cheio de sujeira e de sangue; o tétano já tinha começado.

O médico me conhecia e me telefonou, dizendo:

— Doutor Cho, devemos operá-lo? Clinicamente falando, não há esperança. Ele ficou sem cuidados médicos por tanto tempo que o tétano já começou. Não há possibilidade alguma de o curarmos.

Mas eu disse:

— Vá em frente e opere; assim que terminar de pregar meu sermão natalino, irei correndo para o hospital.

Depois do culto de Natal, fui apressadamente até a sala de pronto-socorro do Hospital da Universidade Nacional de Seul, e lá estava o membro de nossa igreja, totalmente inconsciente. O médico repetiu que não havia esperança.

— Pastor Cho, não espere nada. Ele está morrendo. Nada podemos fazer. Quando abrimos seu estômago, vimos três lugares onde os intestinos foram completamente seccionados, e essas áreas estavam cheias de excremento e de sujeira. Não há esperança.

Respondi:

— Bem, farei o melhor que puder.

Quando entrei na sala, ele estava em coma profundo. Ajoelhei-me ao pé de sua cama e orei:

"Senhor Deus, dá-me somente cinco minutos e então tentarei. Faze com que ele saia do estado de coma por cinco minutos, e então tentarei".

Ao orar, senti algo se mover. Abri os olhos, e o homem abriu os dele também.

— Ah, pastor, estou morrendo... — clamou ele.

Soube, então, que ganhara meus cinco minutos. Respondi:

— Não diga isso. Enquanto continuar a dizer isso, morrerá mesmo, e assim não poderei ajudá-lo. Deve mudar sua imaginação e seu pensamento. Mude sua visão e seu sonho, pois a única maneira de exercer domínio sobre o corpo material que pertence à terceira dimensão é mediante a imaginação, visões e sonhos. Portanto, ouça-me. Chame à mente a imagem de um jovem. "Ele diz até logo à esposa. Está cheio de beleza e de saúde. Vai para o escritório e termina os negócios do dia com êxito. Todo mundo o respeita e admira. Chega a noite, e ele compra lindos presentes para a esposa, que o espera em casa para o jantar. Quando ele chega, ela corre até o portão e lhe dá boas-vindas com um forte abraço e um beijo. Eles entram em casa, fazem uma deliciosa refeição juntos e desfrutam de uma noite tranquila".

— O homem de quem estou falando não é um estranho — prossegui. — Esse homem é você! Pense nele! Coloque essa imagem em sua mente. Olhe para esse homem e diga em seu coração: esse homem sou eu! Não forme uma imagem da morte.

Não faça a imagem de um cadáver. Continue sonhando com esse homem, e eu vou orar. Você simplesmente faz a imagem mental; deixe que eu ore. Será que pode fazer isso?

— Sim, pastor, mudarei meu sonho. Mudarei meu pensamento. Direi que sou esse homem. Tentarei transformar essa visão e esse sonho em realidade... eu o vejo! — clamou ele.

Enquanto conversávamos, o médico entrou com os enfermeiros. Começaram a rir de mim pensando que eu tivesse perdido o juízo. Mas eu estava falando sério, pois conhecia a lei da quarta dimensão do espírito, e aquele homem tinha começado a falar a linguagem do Espírito Santo. Como um missionário em campo estrangeiro que consegue um nível mais profundo de comunicação com o povo local, aprendendo a falar sua língua diretamente em vez de usar um intérprete, assim aquele homem moribundo havia aprendido a linguagem mais profunda do Espírito Santo.

Ajoelhei-me e, com as mãos em sua cama, orei: "Querido Espírito Santo, agora ele fala tua língua. Ele tem uma visão e um sonho. Entre em seu corpo físico e exerça seu domínio. Ordeno que este homem seja feito inteiro e cheio do poder curador!".

Subitamente, o grupo de enfermeiros incrédulos disse:

— Este quarto está quente demais. O calor está insuportável!

Mas fazia muito frio naquele dia. Não estava quente; era o poder do Espírito Santo que produzia todo o calor. O cirurgião e os enfermeiros começaram a sentir o fogo. Suas orelhas ficaram vermelhas, e o poder de Deus tornou-se tão forte que até sentimos a cama tremer.

Para o espanto de todos, em uma semana aquele homem levantou-se e saiu andando do hospital. Agora, ele trabalha na área de produtos químicos e está maravilhosamente bem. Sempre que o vejo, nas manhãs de domingo, sentado na galeria, digo a mim mesmo: "Louvado seja Deus! Falamos a língua do Espírito Santo. Criamos. Aleluia!".

Permita-me contar-lhe outro incidente. Certo dia, estava em meu escritório, e uma senhora com aproximadamente 50 anos de idade entrou chorando.

— Pastor, meu lar está completamente destruído.

— Pare de chorar — respondi — e conte-me o que aconteceu.

— O senhor sabe que temos vários filhos e somente uma filha. Ela se tornou *hippie*, dorme com amigos de meu marido e com amigos de meus filhos, indo de um motel para outro, de uma boate para outra. Tornou-se uma vergonha para nossa família — chorava ela. — Meu marido não pode ir para o escritório. Meus filhos morrem de vergonha, e agora todos vão sair de casa. Tentei tudo. Até pedi que o Senhor a matasse! Oh, pastor Cho, que devo fazer?

— Pare de reclamar e de chorar — disse-lhe eu. — Agora posso ver claramente por que Deus não respondeu à sua oração. A senhora estava apresentando ao Senhor o tipo errado de impressão mental. Em sua mente, a senhora sempre levou a Deus a imagem de uma prostituta, não é?

Retorquiu ela:

— Sim... bem... é isso o que ela é. Ela é uma prostituta!

— Se a senhora deseja vê-la mudada, deve apresentar a Deus outra impressão mental — afirmei-lhe. — Deve começar a limpar a tela de sua imaginação e projetar uma nova imagem.

Ela rejeitou a ideia, dizendo:

— Não posso. Ela é imunda, feia e desgraçada.

— Pare de falar assim! Façamos uma nova imagem. Vamos trazer à mente outro tipo de madeiro malhado e salpicado. Ajoelhe-se aqui, e me ajoelharei à sua frente. Vamos ao pé da cruz do Calvário. Levantemos as mãos. Olhemos para Jesus morrendo na cruz, sangrando e alquebrado. Por que está ele dependurado ali? Por causa de sua filha. Coloquemos sua filha justamente atrás de Jesus Cristo. Vejamos sua filha através da cruz malhada e salpicada dele. A senhora não pode ver sua filha perdoada, lavada, nascida de novo e cheia do Espírito Santo, completamente transformada? Pode fazer essa imagem mediante o sangue de Jesus Cristo?

— Oh, sim, pastor! — respondeu a mãe. — Agora vejo de forma diferente! Por meio de Jesus, por meio da cruz, posso mudar a imagem que tenho de minha filha.

— Maravilhoso! Maravilhoso! — exclamei. — Mantenha essa imagem clara, vívida e delineada de sua filha em mente dia após dia. Assim, o Espírito Santo poderá usá-la, pois sua linguagem é levada por meio da visão e do sonho. Sabemos que essa é a imagem correta, pois estamos ao pé da cruz.

Então, nos ajoelhamos e oramos: "Ó Senhor, vê agora essa imagem. Querido Espírito Santo, flui para dentro dessa nova imagem, dessa nova visão, desse novo sonho. Transforma. Realiza milagres".

Em seguida, despedi essa mãe. Quando ela saiu, era toda sorrisos. Já não chorava, pois a imagem que tinha da filha havia mudado.

Certo domingo, alguns meses mais tarde, subitamente ela entrou em meu escritório, acompanhada de uma linda jovem.

— Quem é essa jovem? — perguntei.

— É minha filha! — sorriu ela.

— Deus respondeu à sua oração?

— Oh, sim, respondeu — confirmou ela.

Em seguida, ela me contou a história toda. Certa noite, sua filha estava dormindo num motel com um homem. Ao acordar de manhã, sentiu-se imunda e desgraçada. Sentiu uma grande infelicidade de alma e teve um desejo profundo de voltar para casa. Mas estava apavorada diante da possível reação dos pais e dos irmãos. Mesmo assim, decidiu arriscar, dizendo a si mesma: "Tentarei uma vez mais, e, se me chutarem, será minha última tentativa...".

A moça foi à casa dos pais e tocou a campainha. Sua mãe veio atender e, quando a viu, suas feições se iluminaram como se o sol estivesse nascendo em seu rosto.

— Bem-vinda, minha filha — disse, efusiva, e deu-lhe um caloroso abraço.

A moça, totalmente dominada pelo amor da mãe, desandou a chorar. A mãe havia orado, e a imagem da filha fora inteiramente mudada. Cumprimentou a filha naquele instante abrindo-lhe os braços de amor.

A mãe levou-a para a igreja durante dois ou três meses. Ela ouviu os sermões, confessou todos os pecados, entregou o coração a Jesus Cristo e recebeu o batismo no Espírito Santo. Tornou-se uma criatura absolutamente nova em Cristo e, com o tempo, encontrou um marido maravilhoso.

Essa moça, agora, tem três filhos e é uma das mais importantes líderes de células de minha igreja. É uma evangelista ardorosa. Isso tudo aconteceu porque sua mãe mudou a visão e o sonho, aplicando a lei da quarta dimensão.

Por toda a Bíblia, Deus sempre utiliza a lei da quarta dimensão. Veja o caso de José. Antes de ser vendido como escravo, Deus já havia impresso em seu coração imagens da quarta dimensão. Por meio de vários sonhos, Deus deu ao coração de José uma visão clara. Embora ele fosse levado como escravo para o Egito, já exercia domínio sobre sua fé. Mais tarde, tornou-se primeiro-ministro.

Agora, observe Moisés. Antes de construir o tabernáculo, foi chamado ao monte Sinai. Lá permaneceu por quarenta dias e quarenta noites, e lhe foi dada uma imagem mental do tabernáculo. Exatamente como o viu na visão e no sonho, ele o construiu.

Deus deu visões a Isaías, Jeremias, Ezequiel e Daniel, todos eles importantes servos do Senhor. Deus chamou-os à quarta dimensão e ensinou-lhes a linguagem do Espírito Santo. Em seguida, eles fizeram a oração da fé.

Isso também aconteceu com o apóstolo Pedro. Seu nome original era Simão, que significa "cana". Quando Pedro veio, trazido por André, Jesus olhou em seus olhos e sorriu.

— Sim, você é Simão. Você é uma cana. Sua personalidade é tão dobrável, tão mutável. Num momento está com raiva; no outro, ri. Às vezes, se embriaga; em outras ocasiões, mostra como pode ser inteligente. Você de fato é como uma cana, mas vou chamá-lo de rocha. Simão, uma cana, está morto para o mundo; e Pedro, a rocha, está vivo.

Pedro era pescador e conhecia as qualidades fortes e estáveis de uma rocha. Em sua imaginação, imediatamente começou a ver a si mesmo como uma rocha. Observava as ondas levadas pelo vento do mar da Galileia baterem contra a rocha, engolfando-a em espumas; e a rocha parecia ter sido vencida. Mas, no instante seguinte, via toda a água projetando-se contra a rocha, escorrendo dela, e a rocha ainda permanecia. Pedro dizia vez após vez: "Sou eu como uma rocha? Sou? Sim, sou como uma rocha".

Deus mudou o nome de Jacó para Israel, que significa "o príncipe de Deus". Ele era um trapaceiro e suplantador, mas foi chamado de príncipe. Depois disso, ele foi transformado.

Os não cristãos do mundo todo se envolvem com meditação transcendental e meditação budista. Na meditação, se pede que a pessoa tenha uma visão e um objetivo claro. No *sokagakkai*, constroem uma imagem de prosperidade repetindo frases vez após vez, tentando desenvolver a quarta dimensão espiritual do homem; essas pessoas estão criando algo. Embora o cristianismo tenha chegado ao Japão há mais de cem anos, conta com somente 0,5% da população[1], e o *sokagakkai* possui milhões de seguidores. O *sokagakkai* aplica a lei da quarta dimensão e realiza milagres, mas, no cristianismo, só há blablablá sobre teologia e fé.

Os indivíduos foram criados à imagem de Deus. Deus é um Deus de milagres. Seus filhos, portanto, nascem com o desejo de ver milagres realizados. Sem ver milagres, as pessoas não podem satisfazer-se da ideia de que Deus é poderoso.

[1] Segundo dados estatísticos do Almanaque Abril 2000, 1,2% da população do Japão é cristã. [N. do E.]

SUA RESPONSABILIDADE

Você é responsável por fazer milagres para essas pessoas. A Bíblia não é da terceira dimensão, mas da quarta, pois nela lemos a respeito de Deus e da vida que tem para nós. Também podemos aprender a linguagem do Espírito Santo. Ao ler as Escrituras, é possível ampliar as visões e os sonhos. Fabrique suas visões e sonhos, crie-os. Permita que o Espírito Santo venha e avive as passagens bíblicas que você lê e implante visões nos jovens e sonhos nos velhos.

Se lhe falta a mobilidade e a oportunidade de um missionário, pelo menos pode sentar-se numa cadeira e sonhar. Isso tem poder. Permita que o Espírito Santo venha e lhe ensine sua linguagem, a linguagem dos sonhos e das visões. Conserve essas visões, conserve esses sonhos e deixe que o Espírito Santo flua por meio dessa linguagem e crie.

Deus deseja conceder-lhe os desejos de seu coração. Ele está pronto a cumprir esses desejos, porque a Bíblia diz: "Deleite-se no SENHOR, e ele atenderá aos desejos do seu coração" (Sl 37.4). Lemos também em Provérbios 10.24: "... o que os justos desejam lhes será concedido". Primeiro, tenha um objetivo claro, então faça uma imagem mental, vívida e definida; torne-se entusiasta, orando durante todo o processo. Não seja enganado pela conversa da expansão mental, da ioga, da meditação transcendental ou do *sokagakkai*. Estão simplesmente desenvolvendo a quarta dimensão humana, e nesse caso não estão operando na quarta dimensão do bem, mas na do mal.

Que nos levantemos para realizar mais do que um mago do Egito. Há fartura de mágicos nos Egitos deste mundo, mas usemos todos os nossos sonhos e todas as nossas visões para nosso Deus santo. Transformemo-nos em Moisés e saiamos a fim de realizar os milagres mais maravilhosos.

Milagres são uma ocorrência comum em nossa igreja, de modo que, por experiência, digo que o homem não é meramente mais um animal. Você não é uma criatura comum, pois tem no coração a quarta dimensão, e é a quarta dimensão que tem domínio sobre as três dimensões materiais: o mundo cúbico, o mundo plano e o mundo linear.

Mediante o domínio na quarta dimensão — o reino da fé — é possível dar ordens a suas circunstâncias e situações, trazer beleza ao feio e ordem ao caótico, sarar enfermos e consolar os que sofrem.

O poder criador da palavra falada

Há certos passos que devemos dar para que a fé seja incubada adequadamente, e existe uma verdade central que devemos aprender acerca do reino em que a fé opera. Há também um princípio básico acerca da palavra falada que devemos compreender. Portanto, desejo falar-lhe a respeito do poder criador da palavra falada e por que seu uso é de grande importância.

Certo dia, estava tomando o café da manhã com um dos mais famosos neurocirurgiões coreanos. Ele me contava de várias descobertas médicas sobre o funcionamento do cérebro. Perguntou ele:

– Doutor Cho, o senhor sabia que o centro da fala no cérebro controla todos os outros nervos? Vocês, pastores, realmente têm poder porque, segundo descobertas recentes no campo da neurologia, o centro da fala no cérebro tem domínio sobre todos os demais nervos.

Então eu sorri, dizendo:

– Sei disso há muito tempo.

– Como descobriu isso? – perguntou ele. – É coisa recente no mundo da neurologia.

Respondi-lhe que o doutor Tiago me havia ensinado.

– Quem é esse doutor Tiago? – interrogou ele.

– Foi um dos médicos famosos dos tempos bíblicos, há quase 2 mil anos – respondi. – Em seu livro, no capítulo 3, nos primeiros versículos, o doutor Tiago define claramente a importância da língua e do centro da fala.

O neurocirurgião ficou completamente pasmo.

– A Bíblia realmente ensina isso?

– Sim – respondi. – A língua é o menor membro de nosso corpo, mas pode dominá-lo inteiramente.

Então, esse neurocirurgião começou a expor as novas descobertas. Disse que o centro nervoso da fala tinha tal poder sobre todo o corpo que o simples fato de falar pode dar controle à pessoa sobre seu corpo de manipulá-lo da maneira que bem desejar. Disse ele:

– Se alguém diz: "Vou ficar fraco", imediatamente todos os nervos recebem essa mensagem e dizem: "Ah, vamos nos preparar para enfraquecer, pois recebemos instruções da central de comunicação de que devemos ficar fracos". Então, em seguida, ajustam suas atitudes físicas para a fraqueza. Se alguém diz: "Ora, não tenho capacidade alguma... Não posso fazer esse trabalho", imediatamente os nervos começam a declarar a mesma coisa. "Sim", respondem eles, "recebemos instrução do sistema nervoso central dizendo que não temos nenhuma capacidade e que devemos desistir de tentar desenvolver qualquer habilidade. Devemos nos preparar para fazer parte de uma pessoa incapaz".

Se ficar dizendo: "Sou muito velho... sou velho demais, estou cansado e não posso fazer nada", então de imediato o controle central da fala responde, dando ordens para esse efeito. Os nervos respondem: "Sim, somos velhos. Estamos prontos para a sepultura. Vamos nos preparar para a desintegração". Se alguém continua a dizer que é velho, então essa pessoa logo morre.

O neurocirurgião continuou:

– O homem nunca deveria se aposentar. Uma vez que se aposenta, fica repetindo para si mesmo: "Sou aposentado", e todos os nervos começam a reagir de acordo com essa afirmação, tornando-se menos ativos e prontos para uma morte rápida.

PARA UMA VIDA PESSOAL DE SUCESSO

Essa conversa significou muito para mim e teve grande impacto em minha vida, pois pude perceber que um uso importante da palavra falada é a criação de uma vida pessoal de êxito.

As pessoas logo se acostumam a falar de maneira negativa.

– Rapaz, como sou pobre! Não tenho dinheiro nem para ofertar ao Senhor...

Quando aparece uma oportunidade, um emprego com um bom salário, o sistema nervoso responde:

– Não posso ser rico, porque ainda não recebi a instrução contrária de meu centro nervoso. Espera-se que eu seja pobre, de modo que não posso aceitar esse emprego. Não posso dar-me ao luxo de ter dinheiro.

Coisas iguais se atraem, e, uma vez que você age como se fosse uma pessoa pobre, atrai a pobreza; essa atração, se permanecer consistente, permitirá que viva sempre na pobreza.

Exatamente como a Bíblia falou quase 2 mil anos atrás, assim é hoje. A ciência médica recentemente descobriu esse princípio. Esse neurocirurgião disse que as pessoas deveriam dizer a si mesmas: "Sou jovem. Sou capaz. Posso fazer o trabalho de um jovem. Não importa qual seja minha idade cronológica". Os nervos dessa pessoa rejuvenescerão, recebendo poder e força do centro nervoso.

A Bíblia diz claramente que quem controla sua língua controla o corpo inteiro. O que você fala, você obtém. Se continuar a dizer que é pobre, seu sistema ficará condicionado a atrair a pobreza, e você se sentirá à vontade com ela; prefere ser pobre. Mas se a pessoa se mantém dizendo que é capaz, que pode alcançar o êxito, então todo o corpo será levado ao êxito. Estará pronta a enfrentar qualquer desafio e a vencê-lo. Esse é o motivo pelo qual nunca se deve falar de maneira negativa.

Na Coreia, temos o hábito de fazer uso frequente de palavras que dão conotação de morte. Expressões como "Ah, está tão quente... estou morrendo de calor"; "Ah, comi até morrer", "Ah, estou tão feliz que poderia morrer agora mesmo" e "Ah, estou morrendo de medo" são muito comuns. Os coreanos repetem com frequência essas palavras negativas. É por isso que, através dos 5 mil anos da história coreana, temos estado constantemente morrendo, constantemente em guerra. Minha geração não viu paz total em nosso país. Nasci durante a Segunda Guerra Mundial, cresci durante a Guerra da Coreia e atualmente ainda vivo num país à beira da guerra.

Antes que as pessoas mudem, devem mudar sua linguagem. Se não mudarem a maneira de falar, não mudarão a si mesmas. Se deseja ver seus filhos transformados, primeiro deve ensinar-lhes a usar a linguagem adequada. Se almeja ver jovens rebeldes e irresponsáveis transformados em adultos responsáveis, deve ensinar-lhes essa nova linguagem.

Onde podemos aprender essa nova linguagem? No melhor livro de línguas de todos, a Bíblia. Leia a Bíblia do Gênesis ao Apocalipse. Adquira a linguagem bíblica, fale palavras de fé, alimente seu sistema nervoso com vocabulário construtivo, progressivo, produtivo e vitorioso. Enuncie essas palavras; continue a repeti-las, de modo que tenham controle de seu corpo inteiro. Assim, você se tornará vitorioso, pois estará completamente condicionado a enfrentar seu ambiente e suas circunstâncias e a alcançar o êxito. Essa é a primeira razão importante para usar a palavra falada: criar o poder de ter uma vida pessoal de êxito.

PARA OS PROPÓSITOS DE DEUS

Há um segundo motivo pelo qual necessitamos do uso do poder criativo da palavra falada: ela não somente pode nos ajudar a ter êxito em nossa vida, mas o Espírito Santo também precisa que a usemos a fim de realizar os propósitos de Deus.

Quando entrei para o ministério, sentia-me em luta até no meio de meus sermões e percebia impedimentos em meu espírito. Então, o Espírito do Senhor descia a meu espírito, e era como se eu estivesse vendo televisão. Na tela de minha mente, via tumores desaparecerem, tuberculoses curadas, aleijados que se apoiavam em muletas repentinamente jogá-las de lado e andar.

A Coreia está tão longe dos Estados Unidos que eu pouco tinha ouvido desse ministério de libertação e de cura. Até os missionários que me cercavam ignoravam esse ministério, e conversar com eles só me trouxe mais confusão.

Cheguei à conclusão de que esse era um impedimento criado por Satanás. Todas as vezes que isso acontecia, eu dizia: "Espírito de atrapalhação, saia de mim! Ordeno que saia de mim. Deixe-me!".

Quanto mais eu ordenava, tanto mais claramente podia ver os doentes sendo curados. Fiquei tão desesperado que quase não conseguia pregar. As visões apareciam constantemente, de modo que me dediquei à oração e ao jejum, esperando no Senhor.

Então, ouvi o Senhor dizer a meu coração: "Filho, isso não é atrapalhação de Satanás. Esse é o desejo visual do Espírito Santo. É palavra de sabedoria e de conhecimento. Deus deseja curar essas pessoas, mas não o pode fazer até que você fale".

"Não", respondi, "não creio nisso. Deus pode fazer tudo sem que eu jamais tenha de dizer uma só palavra".

Mais tarde, li no primeiro capítulo de Gênesis: "Era a terra sem forma e vazia" e o Espírito Santo pairava sobre ela, incubando-a; mas nada acontecia. Então, Deus me revelou uma importante verdade. Disse ele: "Lá estava a presença do Espírito Santo, a poderosa unção do Espírito Santo incubando e pairando sobre as águas. Aconteceu alguma coisa nessa época?".

"Não", respondi. "Nada aconteceu."

Então disse Deus: "Você pode sentir a presença do Espírito Santo em sua igreja – a presença palpitante e penetrante do

Espírito Santo – mas nada acontecerá; alma alguma será salva, lar desfeito algum será reconstruído até que você diga a palavra. Não fique simplesmente implorando as coisas de que precisa. Diga a palavra. Dê-me o material com o qual eu possa construir acontecimentos miraculosos. Como fiz ao criar o mundo, pronuncie-se. Diga: "Haja luz" ou diga: "Haja um firmamento".

A compreensão dessa verdade marcou um ponto culminante em minha vida. Imediatamente pedi perdão a Deus: "Senhor, sinto muito. Vou pronunciar a palavra".

Mas ainda sentia temor, pois ninguém me havia ensinado nada a esse respeito. Também tinha medo de nada acontecer quando eu falasse. O que diriam as pessoas? Assim, disse a Deus: "Senhor, já que tudo isso me assusta um pouco, não vou dizer nada a respeito dos aleijados que eu vejo curados ou dos tumores cancerosos que vejo desaparecendo. Pai, começarei com dores de cabeça".

Depois disso, ao pregar, visões de cura vinham do espírito. Mas ao ver, com os olhos da mente, aleijados sendo curados, tumores desaparecendo, ignorava-os. Eu dizia:

– Alguém aqui está sendo curado de uma dor de cabeça. – E instantaneamente essa pessoa era curada. Espantava-me que o simples fato de pronunciar essas coisas fazia com que viessem à existência.

Pouco a pouco, adquiri mais coragem. Comecei a falar de sinusites que tinham sido curadas, depois da cura de surdos e, finalmente, falei de todas as curas que via com os olhos da mente. Agora, em minha igreja, nas manhãs de domingo, milhares de pessoas recebem a cura por meio desse canal. Por causa dos horários e da grande quantidade de cultos, tenho de agir rapidamente. De modo que, enquanto estou em pé, o Senhor me mostra as curas que estão acontecendo e as menciono. Simplesmente fecho os olhos e profiro a palavra. Em reconhecimento da cura que foi operada, as pessoas se levantam. Elas se levantam quando é mencionada essa doença particular da qual foram curadas. Durante essa parte do culto, muitas pessoas, em todo o auditório, levantam-se reivindicando a cura.

Assim, aprendi um segredo: antes que se diga a palavra, o Espírito Santo não possui o material adequado com o qual criar. Se o Espírito Santo conceder fé a seu coração para remover a montanha, não ore nem suplique que a montanha seja removida; antes, diga: "Seja removida para o meio do mar!". E isso acontecerá. Se aprender isso e habituar-se a falar sob a unção do Espírito Santo e na fé que Deus lhe dá, então verá muitos milagres em sua vida.

Dar assistência a 50 mil membros regulares não é uma tarefa fácil. Temos um serviço de atendimento telefônico vinte e quatro horas por dia em nossa igreja, e os assistentes trabalham o dia todo recebendo chamadas e dando instruções. Procuro não deixar que o número do telefone de minha casa apareça na lista telefônica. Mas as pessoas sempre acabam descobrindo meu número, e o aparelho começa a tocar desde bem tarde da noite até quase ao amanhecer do dia seguinte.

Outras vezes, estou descansando. Então, o telefone toca às 22 horas.

– Pastor – diz uma voz – meu neto está com febre alta. Por favor, ore por ele.

Às 23 horas, outra voz soa ao telefone.

– Meu marido ainda não voltou do trabalho. Por favor, ore por ele.

E eu oro.

À meia-noite, o telefone torna a tocar, e uma mulher, chorando, me diz:

– Meu esposo chegou aqui em casa e me espancou. Ah, isso é terrível, já não desejo viver!

Assim, tenho de orar por ela.

À 1 hora da madrugada, recebo o telefonema de um homem bêbado que me diz:

– Minha esposa frequenta sua igreja. O que o senhor lhe ensina para que ela se comporte dessa maneira?

Então, lhe dou uma explicação detalhada.

Ainda de madrugada, chega um chamado do hospital.

– Pastor, a pessoa está agonizando. Poderia vir e orar por ela? Seu último desejo antes de morrer é ver o senhor.

Assim, livro-me do cobertor e saio correndo para o hospital.

O telefone toca tanto que às vezes simplesmente desligo o fio da tomada. Exclamo: "Simplesmente me recuso a viver dessa maneira!". E vou para a cama.

Mas o Espírito Santo fala-me ao coração: "Você está sendo um bom pastor? O bom pastor nunca deixa suas ovelhas sem ajuda". Então, me levanto e ligo o fio de novo. Há uma vantagem quando viajo para o exterior: finalmente posso ter uma boa noite de descanso.

Certa noite, durante um inverno muito frio, estava bem confortável na cama, quase adormecendo, quando o telefone tocou. O homem perguntou:

– Pastor, o senhor me conhece?

– Claro que o conheço. Fiz seu casamento.

– Venho me esforçando por dois anos, com todas as minhas forças, mas nosso casamento não está funcionando – disse ele. – Hoje à noite, tivemos uma grande briga e decidimos separar-nos. Já dividimos nossas coisas, mas falta algo: a bênção do senhor. Casamos com sua bênção e desejamos divorciar-nos com ela.

Que situação para um pastor: abençoá-los na união e depois abençoá-los na separação! Respondi:

– Vocês não podem esperar até amanhã? Está frio demais, e já estou na cama. Tenho de ir agora?

– Pastor – respondeu ele – amanhã será tarde demais. Estamos nos separando hoje. Não queremos que o senhor faça um sermão. É tarde demais para isso, não há mais esperança para nós; simplesmente venha e nos dê sua bênção para que possamos nos divorciar.

Arrastei-me para fora da cama e fui para a sala de estar. No coração, estava com raiva de Satanás. Pensei: "Isso não é obra do Espírito Santo. Isso é obra do Diabo".

Ao começar a orar, imediatamente entrei na quarta dimensão. Uma vez que visões e sonhos são a linguagem do Espírito Santo, mediante a quarta dimensão posso incubar a terceira e corrigi-la. Ajoelhei-me, fechei os olhos e, por intermédio da cruz de Jesus Cristo, com a ajuda do Espírito Santo, comecei a ver essa família reunida de novo. Mentalizei um quadro claro e orei: "Oh, Deus, torne esse casamento como a imagem que tenho".

Enquanto orava, fui tocado pela fé e, no nome de Jesus Cristo, mudei essa situação para a quarta dimensão. A quarta dimensão com seu poder positivo era minha, de modo que fui para o apartamento desse casal.

O casal vivia em um fantástico apartamento de luxo. Tinham de tudo, mas, ao entrar, senti um calafrio, o ódio que existia entre marido e mulher. A pessoa pode ter todos os bens materiais do mundo, mas, se houver ódio em sua família, as coisas materiais não serão bênção alguma.

Ao chegar, encontrei o homem na sala de estar; a esposa estava no quarto. No instante em que entrei, o homem começou a falar mal da esposa. A esposa, então, entrou correndo na sala e foi logo dizendo:

– Não dê ouvidos a ele! Ouça o que eu tenho a dizer! – E começou a falar mal do marido.

Ouvindo o marido, tudo o que ele dizia parecia certo. Mas quando ouvi a esposa, tudo o que ela dizia também parecia estar certo; e cada um deles, na sua opinião, considerava-se certo. Ambos tinham razão, e eu fiquei ali, espremido entre os dois.

Ambos diziam que o casamento estava terminado.

– Não ore por nós – continuavam a repetir. – Simplesmente ore por nosso divórcio.

Mas eu já tinha vencido essa decisão da terceira dimensão ao usar a fórmula da quarta em meu coração. Confiante, peguei a mão do marido e a mão da esposa e disse:

– No nome de Jesus Cristo, ordeno que Satanás desfaça o laço de ódio deste casal. Neste instante, no poderoso nome de

Jesus Cristo, ordeno que estes dois sejam reunidos. Que sejam ternos e unidos.

Subitamente, senti uma gota morna cair sobre a minha mão. Ao olhar para o homem, vi que ele estava chorando, as lágrimas escorrendo-lhe pela face.

Pensei comigo mesmo: "Oh, louvado seja Deus! Funcionou!".

Ao olhar nos olhos da esposa, pude ver que também estavam cheios de lágrimas. Então, uni as mãos deles e disse:

– O que o Senhor uniu, não o separe o homem nem circunstância alguma.

Levantei-me e disse:

– Já vou.

Os dois acompanharam-me até o portão e, enquanto eu saía, disseram:

– Até logo, pastor.

– Louvado seja Deus – respondi. – Funciona!

No domingo seguinte, os dois estavam no coral e cantaram lindamente. Depois do culto, apertei a mão dos dois e perguntei à esposa:

– O que aconteceu?

– Bem, não sabemos – respondeu ela. – Mas quando o senhor disse aquelas palavras e deu ordens tão fortes, sentimos algo se desfazer em nosso coração. Foi como se uma parede tivesse sido destruída, e fomos sacudidos. De repente, tivemos a impressão de que talvez devêssemos tentar uma vez mais, e essa impressão veio a nós dois ao mesmo tempo. Depois que o senhor saiu, passamos toda a noite desfazendo as malas. Pensando no incidente agora, não entendemos por que brigávamos tanto, por que íamos nos separar. Agora amamos um ao outro ainda mais do que antes.

O Espírito Santo precisa de sua palavra e também da minha. Se eu tivesse implorado a eles ou se tivesse orado silenciosamente com eles, teria errado o alvo. Disse a palavra, e ela saiu e criou. O Espírito Santo precisa de sua palavra definida, a palavra falada de fé.

Jesus proferiu a palavra falada a fim de mudar situações e de criar. Os discípulos de Jesus Cristo usaram a palavra falada a fim de criar e de mudar. Infelizmente, a igreja de Jesus Cristo parece ter se transformado em uma eterna mendiga: mendigando e mendigando, com medo de enunciar as palavras de ordem. Precisamos readquirir a arte perdida de expressar palavras de ordem.

PARA LIBERAR A PRESENÇA DE CRISTO

Há uma terceira razão pela qual usar o poder da palavra falada: por seu intermédio, a pessoa cria e libera a presença de Jesus Cristo. Ao abrir a Bíblia e ler Romanos 10.10, descobrimos que "com o coração se crê para justiça, e com a boca se confessa para a salvação". É mediante a confissão da fé que a pessoa pode se assegurar da salvação que vem somente por Jesus Cristo.

Em lugar algum nessa passagem se diz que é necessário que alguém vá ao céu e de lá traga Jesus Cristo de volta à terra, a fim de conceder a salvação. O que se diz é que as palavras que podem resultar em salvação estão perto, em sua boca e em seu coração.

Onde está Jesus Cristo? Qual é seu endereço? Certamente não é lá nos altos céus nem embaixo na terra. Jesus está na Palavra dele.

Onde estão as palavras que podem salvá-lo? Essas palavras estão em sua boca e em seu coração. Jesus fica limitado ao que você expressa. Assim como a pessoa libera o poder de Jesus mediante a palavra falada, também pode criar a presença dele. Se não falar a palavra de fé claramente, Cristo jamais será liberado. A Bíblia diz: "... Tudo o que vocês ligarem na terra terá sido ligado no céu, e tudo o que vocês desligarem na terra terá sido desligado no céu" (Mt 18.18). Você tem a responsabilidade de levar e trazer a presença de Jesus Cristo.

Sempre que me reúno com meus cem pastores assistentes, dou-lhes uma ordem estrita:

— Cabe-lhes a responsabilidade de criar a presença de Jesus Cristo aonde quer que vão. Devem liberar Jesus e preencher necessidades específicas.

Permita-me dar-lhe alguns exemplos.

Em nossa vizinhança, há várias igrejas de diversas denominações. Em certa igreja presbiteriana, o pastor fala somente acerca da experiência do novo nascimento. Ele prega com vigor, mas só a respeito da experiência da salvação, de modo que está liberando e criando a presença de Jesus que pode dar o novo nascimento para as pessoas. Os que vão à sua igreja recebem a salvação e nada mais.

A Igreja da Santidade fica a uma quadra de distância, e todos os dias fala sobre a santificação. "Santifiquem-se, santifiquem-se", exortam repetidamente. Muitas pessoas vão e recebem o toque da santificação. O ministro ali somente cria a presença do Cristo santificador.

Em minha igreja, prego a respeito do Jesus que salva, do Cristo que santifica, do Salvador que batiza, do bendito Filho de Deus e do Jesus que cura; todos esses aspectos manifestam-se em minha igreja. Tento criar a presença completa, a presença total de Jesus Cristo.

SUA PARTE

Você cria a presença de Jesus com sua boca. Se falar a respeito da salvação, o Jesus que salva aparecerá. Se falar acerca da cura divina, terá o Jesus que cura em sua congregação. Se falar do Jesus que realiza milagres, então a presença do Jesus que opera milagres será liberada. Ele é limitado por seus lábios e por suas palavras. Ele depende de você, e, se você não falar claramente por causa do temor de Satanás, como é que Cristo Jesus manifestará seu poder a esta geração? Por isso, fale com audácia.

Muita gente tem problemas demais no lar por não edificar um altar da família. Se o pai mantém um altar da família e fala claramente a respeito da presença de Jesus Cristo em seu lar, pode criar a presença de Jesus Cristo ali, e Jesus vai tomar conta de todos os problemas daquela família. Mas, uma vez que muitos negligenciam o altar da família, deixam de declarar com clareza a presença de Jesus Cristo, e seus filhos ficam sem as bênçãos completas de Deus.

Não é necessário esperar até receber um dom espiritual especial. Sempre digo que os dons espirituais residem no Espírito Santo. Você mesmo jamais poderá possuir um dom espiritual.

Suponhamos que eu possuísse o dom de curar. Então, eu curaria todos os que me procurassem indiscriminadamente. Se eu tivesse o dom, o daria a todos; não estaria discernindo clara ou justamente. O Espírito Santo vê uma necessidade e permite que a operação de um dom flua por meio de alguém para suprir essa necessidade.

É importante lembrar que todos os dons residem no Espírito Santo, pois é ele que habita em sua igreja e que mora em você. Por meio dele é possível ter todo tipo de ministério: do ensino, da evangelizacão, de missões, pastoral e da cura divina. Por seu intermédio, como um canal, o Espírito Santo pode manifestar-se. Portanto, não se preocupe em adquirir quaisquer dos dons.

Seja audaz. Receba o dom da audácia, e então diga a palavra. Fale a palavra claramente e crie a presença específica de Jesus Cristo. Libere essa presença específica de Jesus Cristo para sua congregação, e vai ter resultados específicos. O pai pode criar a presença de Jesus Cristo no lar por meio de sua palavra falada, e Jesus encarrega-se de todos os problemas da família. Da mesma forma, vou a minha igreja a fim de falar a mensagem, de plantar sementes específicas e de colher resultados específicos.

Percebo uma grande falha nos cultos realizados nos Estados Unidos. Os pastores norte-americanos entregam mensagens fantásticas a suas congregações, mas, logo após o culto, as pessoas são despedidas e vão embora. Não se dá tempo a elas para produzirem o fruto que cada mensagem traz à luz. Recebem a palavra falada, mas não têm tempo de orar para que ela se implante em sua vida, de maneira que se torne parte delas.

Nos Estados Unidos os cultos terminam cedo demais. Dê tempo à congregação; abrevie os avisos e os números especiais. Entregue a palavra e deixe que o povo tenha mais tempo para orar junto. Deixe que as palavras sejam digeridas. Se isso fosse feito, seriam vistos mais resultados nos ministérios desses pastores.

Finalmente, as palavras moldam sua vida, pois o centro nervoso da fala controla todos os outros nervos. É por isso que falar em línguas é o sinal inicial do batismo no Espírito Santo. Quando o Espírito Santo domina o centro da fala, domina todos os nervos do corpo e controla o corpo inteiro. Assim, quando falamos em outras línguas, estamos cheios do Espírito Santo.

Fale a palavra para controlar e sujeitar completamente seu corpo e sua vida. Entregue a palavra para o Espírito Santo, de modo que ele crie algo com ela. Então, crie e libere a presença de Jesus Cristo por sua palavra falada.

Pregue a palavra. A palavra falada tem poder. Quando a palavra é liberada, é ela que realiza os milagres, e não a pessoa que a emitiu.

Deus não o usa por você estar completamente santificado, pois, enquanto o cristão viver, estará lutando com a carne. Deus o usa por sua fé. Irmãos e irmãs, empreguemos a palavra falada para ter êxito em nossa vida, para fornecer o material com o qual o Espírito Santo possa criar e liberar a presença de Jesus Cristo.

Lembre-se de que Cristo depende de você e de sua palavra falada a fim de liberar sua presença. O que vai fazer com esse Jesus que leva em sua língua? Vai liberá-lo para a bênção de outros? Ou vai trancá-lo com uma língua silente e com uma boca fechada? Que Deus o abençoe ao tomar sua decisão.

Rhema

A palavra falada tem poderosa criatividade, e seu uso adequado é vital para a vida cristã vitoriosa. Contudo, precisa de uma base correta a fim de ser eficaz. A descoberta da base correta para a palavra falada é um dos mais importantes princípios da verdade de Deus. É com referência a esse tópico que quero conversar com você agora.

FÉ NA PALAVRA DE DEUS: PROBLEMAS E PRODUTIVIDADE

Certo dia, trouxeram ao meu escritório uma senhora deitada numa maca. Era paralítica do pescoço para baixo e não conseguia mover nem mesmo um dedo. Enquanto a conduziam ao meu escritório, comecei a ter uma sensação estranha. Era como se meu coração estivesse perturbado. Assim como houve um sentimento de expectativa junto ao tanque de Betesda, assim também soube que algo iria acontecer.

Acerquei-me de sua maca e, ao olhar para seus olhos, vi que tinha a fé para ser curada: não uma fé morta, mas uma fé viva. Toquei-lhe a testa e disse:

— Irmã, no nome de Jesus Cristo, seja curada.

Instantaneamente, o poder de Deus se manifestou, e ela foi curada. Levantou-se da maca, emocionada, assustada, eletrizada.

Alguns dias mais tarde, veio a minha casa para trazer-me alguns presentes. Ao entrar em meu escritório, perguntou:

— Será que posso fechar a porta?

— Sim — respondi — feche a porta.

Então, ela se ajoelhou perante mim, ainda espantada por causa de sua cura, e disse:

— Por favor, revele-se a mim. O senhor é o segundo Jesus encarnado?

Sorri.

— Querida irmã, sabe, tomo três refeições por dia, vou ao banheiro e durmo todas as noites. Sou tão humano quanto você. Sou salvo por intermédio de Jesus Cristo.

Aquela senhora tinha recebido uma cura tão miraculosa que a notícia espalhou-se rapidamente. Logo depois, uma senhora rica veio a minha igreja, também trazida em uma maca. Tinha sido cristã por muito tempo e servido como diaconisa de sua igreja. Havia memorizado passagens e mais passagens acerca de cura divina: "... eu sou o SENHOR que os cura" (Êx 15.26); "... pelas suas feridas fomos curados" (Is 53.5); "Ele tomou sobre si as nossas enfermidades e sobre si levou as nossas doenças" (Mt 8.17); "Estes sinais acompanharão os que crerem: [...] imporão as mãos sobre os doentes, e estes ficarão curados" (Mc 16.17,18).

Orei por ela com todo o fervor, mas nada aconteceu. Então gritei, repetindo as mesmas orações para a cura. Usei a Palavra de Deus, até mesmo pulei, mas nada aconteceu. Disse-lhe que se levantasse pela fé. Muitas vezes ela se levantava, mas, no instante em que a soltava, caía como um pedaço de madeira morta. Então, eu dizia:

— Tenha mais fé e se levante.

Ela se levantava e de novo caía. Dizia ela que tinha toda a fé que há no mundo, mas que sua fé não funcionava.

Fiquei muito deprimido, e logo ela começou a chorar. Dizia:

— Pastor, o senhor tem preconceito contra mim. O senhor amava tanto a outra mulher que a curou. Mas o senhor realmente não me ama. Por isso ainda estou doente. O senhor tem preconceito.

— Irmã — respondi — fiz de tudo. Você mesma viu. Orei, clamei, pulei e gritei. Fiz tudo que um pregador pentecostal pode fazer, mas nada aconteceu, e não compreendo o motivo.

Em minha igreja, esse problema inquietante de uma pessoa ser curada enquanto outra permanece enferma não ficou limitado a essa ocasião. Evangelistas de fama mundial vêm visitar minha igreja e, entusiasticamente, dizem:

— Todos vão ser curados! Todos!

Pregam a palavra de fé e muitos são curados.

Depois, esses evangelistas vão embora, levando toda a glória, e eu fico com a incumbência de tratar dos doentes que não foram curados. Eles vêm a mim, desanimados, abatidos e desesperados, queixando-se:

— Não fomos curados. Deus desistiu de nós; estamos completamente esquecidos. Por que devemos lutar para vir a Jesus Cristo e crer?

Aflijo-me, oro e choro: "Por que, Pai? Por que isso é assim? Deus, por favor, dá-me a resposta. Uma resposta clara".

E ele o fez. Gostaria agora de partilhar com você essa resposta e algumas coisas que me levaram a ter essa compreensão.

As pessoas pensam que podem crer na Palavra de Deus. Podem. Mas não discernem entre a Palavra de Deus que dá conhecimento geral a respeito do Senhor e a Palavra de Deus que ele usa para conceder fé acerca de circunstâncias e de problemas específicos. É este último tipo de fé que produz milagres.

No grego, há dois termos diferentes para "palavra": *logos* e *rhema*. O mundo foi criado pela palavra *logos* de Deus. *Logos* é a palavra geral de Deus, que se estende do Gênesis ao Apocalipse, pois todos esses livros falam acerca de Jesus Cristo, direta ou indiretamente. Ao ler a palavra *logos*, do Gênesis ao Apocalipse, é possível receber todo o conhecimento necessário a respeito de Deus e de suas promessas; mas, pela simples leitura, não se recebe a fé. Recebe-se conhecimento e compreensão acerca de Deus, mas não a fé.

Romanos 10.17 mostra que o material usado para edificar a fé consiste em mais do que a simples leitura da Palavra de Deus: "... a fé vem por se ouvir a mensagem, e a mensagem é ouvida mediante a palavra de Cristo". Nessa passagem, "palavra" não é *logos*, mas *rhema*. A fé, especificamente falando, vem pela pregação da palavra *rhema*.

O doutor Ironside define, em seu léxico grego, a palavra *logos*: "A palavra de Deus falada"; e *rhema*: "A palavra de Deus que fala". Muitos eruditos definem a ação de *rhema* como se o Espírito estivesse tomando alguns versículos da Palavra de Deus e vivificando com eles determinada pessoa. Eis minha definição de *rhema*: "*Rhema* é uma palavra específica, dada a uma pessoa específica, em uma situação específica".

Certa vez, na Coreia, uma senhora chamada Yun Hae Kyung promovia grandes concentrações para a juventude na montanha Samgak. Essa senhora tinha um grande ministério. Quando se punha de pé e pregava, as pessoas vinham à frente e caíam no chão como se tivessem sido atingidas por um raio, tocadas pelo poder do Espírito. Muitos eram os jovens que acorriam a suas reuniões. Nessa ocasião, essa senhora realizava reuniões juvenis em Samgak, e milhares de jovens compareciam todas as noites.

Durante a semana da campanha, choveu muito, e todos os rios transbordaram. Um grupo de jovens desejava assistir ao culto certa noite. Chegando à margem do rio, perceberam que as reuniões estavam sendo realizadas no povoado do outro lado. Mas o rio estava muito cheio, e não havia pontes nem barcos por perto. Os jovens se desanimaram.

Três moças disseram:

— Por que simplesmente não atravessamos o rio a pé? Pedro andou sobre as águas, e o Deus de Pedro é o nosso Deus, e o Jesus de Pedro é o nosso Jesus, e a fé que Pedro tinha é a nossa fé. Pedro creu, e devemos fazer o mesmo. Vamos andar por cima do rio!

O rio estava muito cheio, e a correnteza era forte. As três moças ajoelharam-se, deram as mãos e citaram as Escrituras que mencionavam Pedro caminhando sobre as águas. Disseram a todos que iriam repetir o milagre. À vista dos demais jovens, entraram resolutamente nas águas.

Afundaram imediatamente. Três dias mais tarde, seus corpos foram encontrados flutuando no mar.

Esse triste incidente teve repercussões em toda a Coreia. Os jornais não cristãos atacaram a fé. Traziam manchetes como estas: "Deus dos cristãos não pôde salvar moças", ou: "Por que seu Deus não respondeu às orações de fé?".

Como resultado dessa ocorrência, os incrédulos tiveram um dia de triunfo, e a igreja cristã experimentou derrota e desapontamento geral. Muitos se sentiram deprimidos e desalentados e não tinham como responder aos escárnios e às acusações.

O caso das moças que se afogaram transformou-se em assunto de conversas por toda a Coreia, e muitos cristãos sinceros perderam a fé. Diziam:

— Essas moças creram exatamente como nossos pastores têm ensinado; exerceram sua fé. Dos púlpitos, nossos pastores constantemente nos exortam a exercitar com audácia nossa fé na Palavra de Deus. Essas moças fizeram justamente isso; então, por que Deus não respondeu? Deus Jeová não deve ser um Deus vivo. Tudo isso não passa de uma religião formal, e acreditamos nela.

Que resposta daria você a essas pessoas? Aquelas moças criam. Exercitaram sua fé com base na Palavra de Deus.

Mas Deus não tinha motivos para apoiar essa fé. Pedro nunca andou sobre as águas por causa da palavra *logos*, a qual provê informação geral acerca de Deus. Pedro pediu que Cristo lhe desse uma palavra específica. Disse ele:

— Se é o Senhor, mande-me ir a seu encontro sobre as águas.

Respondeu Jesus:

— Venha!

A palavra que Cristo deu a Pedro não era *logos*, mas *rhema*. Deu-lhe uma palavra específica: "Venha"; a uma pessoa específica: Pedro; numa situação específica: uma tempestade.

Rhema traz fé. A fé vem pela pregação, e a pregação de *rhema*. Pedro nunca andou sobre as águas pelo conhecimento de Deus somente. Pedro tinha *rhema*.

Mas aquelas moças tinham somente *logos*, o conhecimento geral de Deus, nesse caso, a obra de Deus mediante Pedro. O erro foi exercitar sua fé humana em *logos*. Deus, portanto, não tinha responsabilidade alguma de apoiar sua fé, e a diferença entre o modo pelo qual essas moças exercitaram sua fé e a maneira de Pedro exercitar a dele é tão grande quanto a noite do dia.

Dois anos atrás, dois estudantes do Instituto Bíblico falharam completamente em seu primeiro empreendimento ministerial. Os dois haviam sido meus discípulos. Escutaram minhas preleções e, como iam a minha igreja, aprenderam alguma coisa a respeito dos princípios da fé.

Começaram seu ministério com o que parecia ser uma grande porção de fé. Valiam-se de passagens bíblicas como esta: "... Abra a sua boca, e eu o alimentarei" (Sl 81.10); "... O que vocês pedirem em meu nome, eu farei" (Jo 14.14).

Foram a um banco e tomaram um empréstimo bem grande. Em seguida, se dirigiram a um homem bem rico e pediram emprestado outra grande soma de dinheiro. Com esse dinheiro, compraram um terreno e construíram um lindo templo — sem terem, contudo, uma congregação. Começaram a pregar esperando que as pessoas viessem às centenas. Esperavam tirar ofertas e, com elas, pagar a dívida. Mas nada aconteceu.

Um desses jovens tinha pedido emprestado cerca de 30 mil dólares. O outro, cerca de 50 mil. Logo chegaram os credores. Os jovens se viram muito apertados e quase perderam a fé.

Então, os dois vieram a mim. Choraram:

— Pastor Cho, por que o seu Deus é diferente do nosso? O senhor começou com 2 500 dólares, e agora já concluiu um projeto de 5 milhões. Nós construímos um templo que nos custou 80 mil dólares. Por que Deus não nos responde? Cremos no mesmo Deus, temos a mesma fé. Por que ele não nos responde?

Em seguida, começaram a citar passagens bíblicas que contêm promessas, tanto do Antigo como do Novo Testamento, acrescentando:

— Fizemos exatamente como o senhor nos ensinou e fracassamos.

Respondi-lhes:

— Alegra-me que tenham fracassado depois de seguir minhas palavras. Vocês são bons discípulos meus, mas não do Senhor Jesus Cristo. Vocês compreenderam mal alguns de meus ensinos. Comecei a obra de minha igreja dirigido por *rhema,* não por *logos.* Deus falou claramente a meu coração, dizendo: "Levante-se, vá e edifique um templo para 10 mil pessoas". Deus colocou sua fé em meu coração, eu fui, e o milagre aconteceu. Mas vocês saíram simplesmente com *logos,* conhecimento geral a respeito de Deus e de sua fé. Portanto, Deus não tem responsabilidade alguma de apoiá-los, embora o ministério que vocês realizavam fosse para o Senhor Jesus.

Irmãos e irmãs, por meio de *logos*, vocês podem conhecer a Deus. Podem adquirir compreensão e conhecimento a respeito dele. Mas *logos* nem sempre se transforma em *rhema.*

Suponhamos que um doente tivesse ido ao tanque de Betesda e dito aos que ali estavam:

— Vocês são uns bobos! Por que esperam aqui? Este é o mesmo tanque de sempre, com a mesma água, no mesmo lugar.

Por que têm de esperar dia após dia? Vou entrar na água agora e lavar-me.

Em seguida, ele mergulha e toma um banho. Mas, ao sair da água, não fora curado, pois somente depois que vinha o anjo de Deus e revolvia a água é que as pessoas poderiam entrar, lavar-se e serem curadas. Ainda era o mesmo tanque de Betesda, no mesmo local, com a mesma água. Porém, só quando a água era revolvida pelo anjo de Deus é que ocorria o milagre.

Rhema procede de *logos*. *Logos* é como o tanque de Betesda. Você pode ouvir a Palavra de Deus e estudar a Bíblia, mas somente quando o Espírito Santo vem e aviva uma passagem ou passagens das Escrituras em seu coração, queimando-a em sua alma e dando-lhe a conhecer como aplicá-la diretamente à sua situação específica, é que *logos* se transforma em *rhema*.

Se você nunca tem tempo de esperar na presença do Senhor, então nunca confirmará a palavra de que você tanto necessita em seu coração.

Esta é uma época de muita agitação. As pessoas vão à igreja para ser entretidas. Ouvem um sermão curto e são despedidas, sem ter tempo de esperar no Senhor. Recebem *logos*, mas não *rhema*. Por isso não veem milagres de Deus e começam a duvidar de seu poder.

As pessoas devem ir ao santuário, ouvir atentamente o pregador e esperar no Senhor. Mas como não ouvem em atitude de oração, esperando no Senhor a fim de receber *rhema*, não podem, portanto, receber a fé necessária para a solução de seus problemas. O seu conhecimento da Bíblia aumenta à proporção que seus problemas crescem, e, embora venham à igreja, nada acontece. Por isso, começam a esfriar e a perder a fé.

Outro problema que sofrem as igrejas desta época é que os pastores andam demasiadamente ocupados. Passam horas fazendo o trabalho de eletricista, carpinteiro, porteiro, enfermeiro, ocupados em centenas de tarefas diferentes.

Quando chega o sábado, tropeçam por aí tentando pensar em alguma palavra *logos* para pregar na manhã de domingo. Estão tão cansados a ponto de não ter tempo de esperar na presença do Senhor. Não têm tempo de trocar capim verde por leite puro. Suas congregações comem capim, mas não bebem o leite rico da Palavra. Esse é um erro muito grande.

Os leigos não são inimigos do pastor. São seus amigos. Como fizeram os apóstolos, o pastor deve concentrar-se na oração e no ministério da Palavra, delegando qualquer outro trabalho a seus leigos, anciãos, diáconos, diaconisas e líderes.

Sigo esta norma em minha igreja. Não ouso subir ao púlpito sem primeiro esperar na presença do Senhor e receber a palavra *rhema* de Deus para a mensagem. Se não recebo a palavra *rhema*, não subo ao púlpito.

Às vezes, passo toda a noite de sábado em oração! Durante o dia, oro: "Senhor, as pessoas virão com todos os tipos de problemas: doença, pressões, problemas familiares, dificuldades financeiras, todo tipo imaginável de tribulação.

"Virão não somente para receber conhecimento geral a teu respeito, mas também para receber uma solução real dos seus problemas. Se eu não lhes der fé viva, *rhema*, voltarão para suas casas sem ter solucionado nenhum de seus problemas. Necessito de uma mensagem específica, para pessoas específicas, num tempo específico."

Em seguida, espero até que o Senhor me dê a mensagem. Quando subo ao púlpito, vou marchando como um general porque sei que a mensagem que irei entregar tem a unção do Espírito Santo.

Depois do sermão, as pessoas vêm a mim e dizem:

— Pastor, o senhor pregou exatamente a palavra de que eu necessitava. Creio que meu problema será resolvido.

Isso acontece porque os ajudei a receber *rhema*.

Irmãos e irmãs, não estamos edificando na igreja um clube de santos. Estamos lidando com assuntos de vida e de morte. Se o pastor não der *rhema* a seu povo, então tudo o que lhe resta é um clube religioso superficial. Já temos no mundo clubes sociais, como o Rotary, os Kiwanis[1] e outros da mesma natureza, e seus membros também pagam um tipo de dízimo.

As igrejas que edificamos devem ser um lugar que as pessoas recebem soluções da parte de Deus. Recebem e veem milagres em sua vida. E possam conseguir não um mero conhecimento intelectual de Deus, mas também um conhecimento experimental, real e vivo. Mas, para que atinjam esse objetivo, é preciso que primeiro o pastor receba *rhema*.

Deve-se dar tempo aos cristãos para que esperem na presença do Senhor, a fim de que o Espírito Santo tenha tempo de lidar com eles e de inspirá-los por meio das Escrituras. O Espírito Santo pode transformar as passagens bíblicas e aplicá-las ao coração da pessoa, fazendo com que a "palavra de Deus falada" passe a ser a "palavra de Deus que fala". *Logos* deve transformar-se em *rhema*.

Agora posso dizer-lhe por que muita gente não recebe a cura. Todas as promessas são em potencial — mas não literalmente — nossas. Nunca tome uma promessa de Deus e simplesmente diga:

— Oh, esta é minha, esta é minha!

Sim, é sua em potencial, mas só chegará a ser sua na prática quando esperar perante o Senhor.

Antes que o Senhor conceda uma passagem a um indivíduo, ele tem de fazer várias coisas. Primeiro, o Senhor deseja limpar sua vida e fazer com que se entregue a ele. O Senhor nunca dá promessas de modo promíscuo. Quando o Senhor tratar com você, deve gastar tempo para permanecer perante ele. Confesse seus pecados e entregue sua vida a ele. Quando essas condições necessárias são produzidas, vem o poder de Deus. E seu coração,

[1] A Kiwanis International é uma instituição fundada no ano de 1915, em Detroit, com sede em Indianápolis, Estados Unidos, para prestar auxílio a crianças e jovens de todo o mundo, atuando em mais de 94 países. [N. do E.]

assim como o tanque de Betesda, é revolvido por algum texto em particular. Assim, você saberá que dada promessa é sua e receberá fé para produzir o milagre necessário.

O MAIOR OBJETIVO DE DEUS

A saúde corporal não é o objetivo último do Espírito Santo. É necessário conhecer com clareza as prioridades do Espírito Santo. Seu alvo supremo é a santidade de nossa alma. Quando Deus trata com você, sempre o faz pela santidade da alma. Se sua alma não estiver reta diante de Deus, não importa quanta oração, quanto grito ou quanto pulo você dê, essas coisas não lhe trarão a palavra *rhema* que você necessita. É preciso esperar perante o Senhor.

A cura divina depende da soberana vontade de Deus. Às vezes, uma pessoa recebe cura instantânea, ao passo que outra precisa esperar um pouco mais.

Um dos mais queridos diáconos de nossa igreja caiu doente. Ele dedicou-se ao Senhor, amando-o e servindo-o de modo espantoso. Disseram-lhe que tinha um tumor e que os médicos desejavam operá-lo. Mas todos em minha igreja sabiam que o Senhor iria curá-lo, pois ele era um grande santo e de muita fé. Esse era o raciocínio deles.

Orei pela cura dele. Tínhamos então 40 mil membros, e todos oraram, atacando o trono da graça. Esse diácono reivindicou sua cura.

Mas nada aconteceu. Ele piorava cada vez mais. Afinal, sangrava tanto que foi levado ao hospital e sofreu a intervenção cirúrgica. Muitos de nossos membros estavam preocupados e reclamavam:

— Onde está Deus? Por que Deus o está tratando dessa maneira?

Mas louvei a Deus, pois eu sabia que ele tinha algum propósito específico no que estava acontecendo.

Ao ser hospitalizado, ele começou a pregar o evangelho a todos que tinha contato. Logo, todo o hospital sabia que existia um Jesus vivo e que seu representante estava ali naquele hospital. Médicos, enfermeiras e pacientes eram salvos todos os dias.

Então os membros de nossa igreja regozijaram-se, dizendo:

— Louvado seja Deus! Foi muito melhor que ele se hospitalizasse do que se tivesse recebido a cura instantânea.

Deus mostrou que sua prioridade era a cura eterna das almas, não a cura terrena do corpo físico.

Quando há dor e sofrimento, temos a tendência de logo pedir libertação. Mas não devemos fazer isso. Caso seu sofrimento resulte em graça redentora ou se torne canal para o fluxo da graça redentora de Deus, então ele foi previsto por Deus. Se, entretanto, seu sofrimento torná-lo inválido e começar a destruí-lo, procede de Satanás, e você deve orar a fim de livrar-se dele.

Vou contar um caso em que Deus não libertou as pessoas de seu sofrimento.

Aconteceu durante a Guerra da Coreia, quando 500 pastores foram capturados e imediatamente fuzilados e 2 mil igrejas destruídas.

Os comunistas eram cruéis com os pastores. A família de certo pastor foi capturada em Inchon, Coreia, e os líderes comunistas submeteram-nos ao que chamavam de "Tribunal do Povo". Os acusadores diziam:

— Este homem é culpado de cometer este tipo de pecado, e por esse pecado deve ser castigado.

A única resposta que recebiam era um coral unânime de vozes, dizendo:

— Sim, sim!

Dessa vez, cavaram um grande buraco, colocaram o pastor, sua esposa e vários de seus filhos dentro dele. Então, o líder falou:

— Todos esses anos, o senhor tem desviado as pessoas com a superstição da Bíblia. Se desejar agora se retratar perante o povo aqui reunido e se arrepender de sua má conduta, o senhor, sua esposa e seus filhos serão libertos. Mas se persistir em suas superstições, toda a sua família vai ser enterrada viva. Tome sua decisão!

Todos os seus filhos começaram a chorar, dizendo:

— Papai, papai, pense em nós!

Imagine a situação desse homem. Se estivesse em seu lugar, o que você teria feito? Sou pai de três filhos e chegaria quase a preferir ser lançado ao fogo do inferno a ver meus filhos serem mortos.

Esse pai estava profundamente abalado. Levantou a mão, dizendo:

— Sim, sim, vou fazer isso. Vou renunciar... minha...

Mas antes de poder terminar a frase, a esposa tocou-lhe o braço, dizendo:

— Diga NÃO!

Dirigindo-se aos filhos, essa valente mulher disse:

— Calem-se, filhos. Esta noite, vamos jantar com o Rei dos reis e Senhor dos senhores!

Em seguida, começou a cantar o hino "No celeste porvir". Seus filhos e marido a acompanharam no cântico, enquanto os comunistas começaram a enterrá-los.

Logo as crianças estavam enterradas, mas até que a terra lhes chegasse ao pescoço continuaram a cantar, e o povo, a olhar. Deus não os livrou, mas quase todos os que testemunharam essa execução tornaram-se cristãos. Muitos são membros de minha igreja.

Mediante seu sofrimento, fluiu a graça da redenção. Deus enviou seu único Filho a fim de ser morto numa cruz para que o mundo pudesse ser salvo e redimido. Esse é o objetivo último de Deus: a redenção de almas. De modo que, quando alguém desejar a cura divina ou uma resposta do alto, focalize o olhar e veja através das lentes do objetivo último, a redenção de almas. Se perceber que o sofrimento realiza mais redenção do que a cura, não peça libertação, mas que Deus lhe dê forças a fim de perseverar.

Nem sempre é fácil fazer distinção entre o sofrimento ocasionado por Satanás, do qual Deus deseja livrá-lo, e o sofrimento que Deus pode usar a fim de fazer com que a corrente da graça redentora continue a fluir. A fim de tomar este tipo de decisão, é preciso que a pessoa espere no Senhor e conheça sua vontade. Não desanime nem ande à procura de oração de um evangelista famoso após outro. Mas, mediante a oração, o jejum e a fé, deixe que Deus lhe apresente sua vontade.

Quando o Espírito Santo aviva o *logos* das Escrituras em seu coração, concede-lhe uma fé miraculosa. Você sabe que a passagem bíblica não mais pertence à palavra de Deus "falada", mas se transforma instantaneamente na palavra de Deus "que fala" a você. Assim, deve firmar-se nessa palavra, seguir em frente e praticá-la, ainda que não veja nada. Embora não possa tocar nada, embora sua vida inteira esteja totalmente às escuras, uma vez que receber a palavra *rhema*, não tenha medo. Siga em frente e ande sobre as águas, e verá o milagre. Tenha cuidado, entretanto, de não se adiantar a Deus.

Muitas pessoas andam na frente de Deus, assim como fez Paulo em sua vontade de levar o evangelho de Cristo. Jesus ordenou que fôssemos até os confins do mundo e que pregássemos o evangelho. Paulo, seguindo a palavra *logos*, dirigiu-se para a Ásia. Mas o Espírito de Jesus não permitiu que ele chegasse lá.

Então, Paulo disse:

— Irei para a Bitínia.

Novamente o Espírito do Senhor disse:

— NÃO.

Desse modo, Paulo e seus companheiros desceram a Trôade, uma cidade desconhecida. Podemos imaginar suas peregrinações ali, sua confusão, pensando: "Estava obedecendo a um mandamento de Jesus. Jesus disse que fôssemos até os confins do mundo e que pregássemos o evangelho. Por que sou um fracassado?".

Enquanto orava e esperava no Senhor, recebeu a palavra *rhema*, e lhe apareceu um homem da Macedônia em uma visão, dizendo: "Passa à Macedônia e ajuda-nos!". Então, ele tomou um barco e foi para a Europa.

Pelo exemplo de Paulo, novamente é possível ver a diferença entre *logos* e *rhema.*

RECEBENDO *RHEMA*

Algumas pessoas têm vindo a mim com o comentário:

— Irmão Cho, posso orar a respeito de várias promessas das Escrituras e esperar até que o Espírito Santo avive essas passagens, aplicando-as a mim. Mas como conseguir *rhema* na escolha de um marido ou de uma esposa? Li a Bíblia toda, mas ela não diz que devo casar-me com Isabel, com Maria *ou* com Joana. Como receber *rhema* a respeito desse assunto?

A Bíblia tampouco diz onde devo estabelecer minha residência, se no Rio de Janeiro, Buenos Aires, Los Angeles ou Berlim. Como saber a vontade de Deus a esse respeito?

Essas são questões legítimas. Permita-me dar-lhe os cinco passos que uso a fim de saber uma palavra *rhema* acerca de questões específicas.

PONTO MORTO

O primeiro passo é colocar-me em ponto morto: não ir nem para a frente nem para trás; permanecer completamente calmo. Em seguida, espero no Senhor, dizendo: "Senhor, eis-me aqui. Ouvirei a tua voz. Se disser 'sim', irei; se disser 'não', não irei. Não desejo tomar decisões em meu próprio benefício, mas segundo seu desejo. Seja algo bom para mim, seja algo mau, estou pronto a aceitar sua direção".

Com essa atitude, espero pelo Senhor. Muitas vezes, a melhor coisa a fazer é jejuar e orar, pois, se a pessoa come demais, fica cansada e não consegue orar. Então, ao perceber que está realmente calma, pode partir para o segundo passo.

DESEJO DIVINO

A segunda coisa que faço é pedir que o Senhor revele sua vontade por meio de meu desejo. Deus sempre vem a você por meio de seu desejo santificado. "Deleite-se no SENHOR, e ele atenderá aos desejos do seu coração" (Sl 37.4). "... o que os justos desejam lhes será concedido" (Pv 10.24). "Portanto, eu lhes digo: Tudo o que vocês pedirem em oração, creiam que já o receberam, e assim lhes sucederá" (Mc 11.24).

Desejar é, pois, um dos pontos centrais de Deus. Além disso, Filipenses 2.13 diz: "pois é Deus quem efetua em vocês tanto o querer quanto o realizar, de acordo com a boa vontade dele".

Por meio do Espírito Santo, Deus coloca em seu coração o desejo, levando-o a desejar fazer a vontade dele. Portanto, faça a seguinte oração: "Senhor, dá-me agora o desejo segundo a tua vontade".

Ore e espere no Senhor até que Deus lhe dê o desejo divino. Ao orar, muitos desejos lindos fluirão à sua mente. Tenha a paciência necessária para que também os desejos de Deus lhe venham à mente. Não se ponha em pé, dizendo: "Oh, já tenho tudo", e em seguida saia correndo. Espere na presença do Senhor um pouco mais.

Satanás também pode dar desejos ou eles podem surgir do próprio espírito do indivíduo ou ser dados pelo Espírito Santo.

O tempo sempre é uma boa prova. Se esperar com paciência, o desejo próprio e o desejo de Satanás ficarão cada vez mais fracos, mas o desejo do Espírito Santo, cada vez mais forte. Por isso, espere e receba o desejo divino.

EXAMINANDO AS ESCRITURAS

Depois de meu desejo tornar-se claro, então dou o passo três: comparo esse desejo com o ensino bíblico.

Certo dia, uma senhora veio a mim. Emocionada, disse:

— Oh, pastor Cho, vou contribuir com uma grande oferta para seu ministério.

— Louvado seja o Senhor! — exclamei. — Sente-se aqui e conte-me a respeito disso.

— Tenho um desejo fantástico de entrar para o mundo dos negócios. Fiquei sabendo de uma boa empresa e, se entrar nela, vou ganhar muito dinheiro.

— Que tipo de negócio é?

— Tenho um desejo ardente de monopolizar o mercado de cigarros. Tabaco, o senhor sabe.

— Esqueça... — retorqui.

— Mas tenho o desejo! — disse ela. — Um desejo ardente, como o senhor sempre pregou.

— Esse desejo procede de sua carne — respondi. — Já examinou as Escrituras para verificar se o que estará fazendo é bíblico?

— Não.

— Seu desejo deve ser provado pelas Escrituras — instruí-a. — A Bíblia diz que somos templos do Espírito Santo (1Co 6.19). Se Deus desejasse que seu povo fumasse, teria feito nosso nariz de maneira diferente. Chaminés devem ser voltadas para cima, não para baixo. Pense no nariz: aponta para baixo, não para cima. O propósito de Deus não era que fumássemos, porque nossa "chaminé" aponta para baixo. A habitação do Espírito Santo é seu corpo. Se o poluir com fumaça, então estará poluindo o templo do Espírito Santo. Seu desejo está fora da vontade de Deus. Seria melhor que simplesmente esquecesse esse novo negócio.

Certo homem veio a mim, dizendo:

— Pastor, fiz amizade com uma linda mulher, uma viúva. Ela é terna, linda e maravilhosa. Ao orar, tenho um desejo ardente de me casar com ela. Mas também tenho mulher e filhos.

— Olhe — respondi. — Esqueça isso, porque tal coisa procede do Diabo.

— Oh, não, não! Não é do Diabo — discordou ele. — Quando orei, o Espírito Santo me disse ao coração que minha esposa não é exatamente o tipo de costela que se encaixa em meu lado. Minha esposa é sempre um espinho na carne. O Espírito Santo falou que essa viúva é minha costela perdida, que se encaixará perfeitamente em meu lado.

Disse-lhe eu:

— Isso não procede do Espírito Santo. Vem do Diabo.

Muitas pessoas cometem esse tipo de erro. Se orarem contra a Palavra escrita de Deus, então o Diabo falará. O Espírito Santo jamais contradirá a Palavra escrita de Deus. Esse homem não me deu ouvidos, divorciou-se da mulher e casou-se com a viúva. Agora é o mais infeliz de todos os homens. Descobriu que sua segunda costela era ainda pior do que a primeira.

Todos os nossos desejos devem, portanto, ser examinados à luz das Escrituras. Se você não possuir autoconfiança suficiente para fazer isso, procure seu pastor.

SINAL DE CONFIRMAÇÃO

Depois de examinar o desejo à luz da Palavra escrita, dos ensinamentos de Deus, então estou pronto para o passo número quatro: pedir um sinal a Deus, pelas circunstâncias. Se Deus verdadeiramente lhe falou ao coração, poderá dar-lhe um sinal do mundo exterior.

Quando Elias orou sete vezes pedindo chuva, recebeu um sinal do céu: uma mancha do tamanho do punho do homem. Uma nuvem apareceu.

Gideão também pode nos servir de exemplo, pois ele também pediu um sinal. Deus sempre me mostrou um sinal. Às vezes, esse sinal era muito pequeno, mas ainda era um sinal.

TEMPO DE DEUS

Depois de receber o sinal, o passo final: oro até conhecer o tempo de Deus. O tempo de Deus é diferente do nosso.

Deve-se orar até ter paz real, pois a paz é como um juiz no coração. Depois de orar, se ainda se sentir inquieto, então o tempo não era o certo. Significa que o sinal ainda está vermelho; portanto, continue a orar e a esperar. Quando o sinal passar do vermelho para o verde, a paz lhe chegará ao coração.

Então, saia correndo. Vá, portanto, com velocidade total, com a bênção de Deus e com a *rhema* de Deus. Milagre após milagre lhe seguirão.

Em minha vida cristã, sempre tenho seguido esses cinco passos. Até aqui, Deus tem confirmado essa maneira de caminhar com sinais e milagres. Esses resultados devem mostrar claramente a diferença entre *logos* e *rhema*.

No futuro, você não precisará ficar confuso acerca das promessas de Deus. Quantidade alguma de reivindicação, trabalho, pulos ou gritos o convencerá. Deus mesmo o convencerá, dando-lhe fé ao coração.

A versão de Almeida de Marcos 11.22,23 diz que, se a pessoa tiver fé em Deus, poderá ordenar a um monte que se atire no meio do mar. O texto grego, entretanto, diz que a pessoa deve ter a fé *de* Deus.

Como é que se pode ter a fé *de* Deus? Ao receber *rhema*, a fé que lhe é dada não é sua, foi-lhe concedida por Deus. Depois de receber essa fé que vem do alto, será capaz de ordenar que montanhas sejam removidas. Sem receber a fé divina, não é possível fazer tal coisa.

Se não por outro motivo, você deve estudar cuidadosamente a Bíblia — do Gênesis ao Apocalipse — a fim de proporcionar ao Espírito Santo o material de que ele necessita para operar. A quem espera no Senhor, o Espírito Santo concede essa fé. E, ao agir conforme essa fé, grandes milagres se seguirão em seu ministério e em seu lar.

Portanto, espere no Senhor; jamais será um desperdício de tempo. Quando Deus lhe fala ao coração, ele pode, em um segundo, fazer coisas muito maiores do que você seria capaz de realizar num ano inteiro. Espere no Senhor e verá grandes coisas realizadas.

A escola de André

Ao receber a Jesus Cristo como Salvador pessoal, seu espírito nasce de novo instantaneamente. Recebe, num instante, a vida de Deus, e nesse exato momento seu ser espiritual ganha a vida eterna. Mas sua mente, seus pensamentos, devem ser renovados segundo seu espírito renascido. Essa renovação é obra para a vida toda, requer tempo, energia e luta. Ela é necessária, caso deseje receber adequadamente as palavras *rhema* concedidas por Deus e agir segundo elas, permitindo que a criatividade poderosa da palavra falada permaneça vital.

UMA VIDA DE PENSAMENTOS RENOVADOS

Muitas pessoas experimentam o renascimento espiritual, mas não renovam a mente a fim de verdadeiramente compreender os pensamentos de Deus. Não levam a vida segundo os pensamentos divinos. Por esse motivo, Deus, que nelas habita, não pode fluir livremente através do canal de sua vida de pensamento. Permita-me dar-lhe um exemplo.

Certo dia, meu filho mais velho, que nessa época estava no quarto ano primário, veio procurar-me no escritório. Era evidente que ele queria perguntar-me algo, mas hesitava em fazer a pergunta. Finalmente eu disse:

— Filho, o que você está tentando perguntar?

Ele sorriu.

— Papai, se eu lhe fizer uma pergunta estranha, o senhor vai ficar com raiva?

— É claro que não vou ficar com raiva — assegurei-lhe. — Vamos, diga.

— Bem — continuou ele — o senhor tem permissão de mentir para sua congregação?

— Quando foi que eu menti? — perguntei.

Ele sorriu.

— Já o ouvi dizer uma mentira repetidas vezes a sua congregação.

Fiquei chocado. Se meu filho desconfiava de mim, então quem confiaria em mim?

— Filho — disse eu — sente-se e diga-me quando foi que eu disse uma mentira.

— Papai, tantas vezes o senhor diz a sua congregação que se encontra com Deus, que fiquei curioso. Todo sábado, eu ficava do lado de fora de seu escritório ouvindo quando o senhor preparava seus sermões e, às vezes, abria a porta um pouquinho para ver se o senhor realmente estava conversando com Deus. Mas nunca vi o senhor realmente se encontrando com Deus em seu escritório. Ainda assim, nos domingos o senhor sobe ao púlpito e ousadamente declara que se encontrou com Deus. Isso é mentira, não é? Não tenha medo de me dizer a verdade. Sou seu filho. Não vou contar para ninguém.

Como ele era ainda muito jovem, sabia que não compreenderia se eu lhe explicasse meus sentimentos em termos teológicos. “Deus”, orei, “preciso de sabedoria. Como posso explicar a essa jovem mente meu relacionamento com o Senhor?”

Subitamente, um pensamento tremendo fluiu de meu coração e olhei para meu filho, dizendo:

— Filho, deixe-me fazer-lhe uma pergunta. Você já viu seus pensamentos?

Ele ficou em silêncio por um momento.

— Não, nunca vi meus pensamentos.

— Então você tem a cabeça vazia — respondi. — Você não tem pensamentos.

— Não, papai, eu tenho pensamentos. Posso falar porque tenho pensamentos.

— Mas — ressaltei — eu nunca vi seus pensamentos.

— Como é que o senhor poderia ver meus pensamentos? — perguntou ele. — Eles estão em algum lugar em meu cérebro, e o senhor não pode vê-los.

— Bem, então — disse eu — embora não possa vê-los, você realmente tem pensamentos, não é?

— É claro, papai! — respondeu ele.

— Ora — expliquei — encontro-me com Deus embora você não possa vê-lo com os olhos. Deus é como seus pensamentos. A Bíblia diz que Deus é a Palavra. Filho, o que é a Palavra? É o pensamento vestido de alguma linguagem. Se Deus é pensamento vestido de chinês, o povo chinês compreende os pensamentos de Deus; quando os pensamentos de Deus estão vestidos de inglês, então o povo norte-americano o compreende. Quando os pensamentos de Deus vêm a nós vestidos de coreano, o povo da Coreia compreende.

— Filho, encontro-me com Deus ao ler as Escrituras, a Palavra de Deus. Os pensamentos de Deus tocam meus pensamentos num reino invisível, e converso com o Pai celestial por meio da Palavra de Deus. Deus é como o pensamento.

Meu filho imediatamente compreendeu o significado e assentiu com a cabeça.

— Não posso ver meus pensamentos, mas sei que os possuo. Sim, Deus é como o pensamento. Não posso vê-lo, mas ele está aí. Estou satisfeito. Desculpe, papai, por tê-lo compreendido mal.

Quando meu filho saiu, levantei-me e louvei ao Senhor: "Pai, temia que ele não compreendesse, mas compreendeu; entretanto, sei que não fui eu, mas o Espírito Santo que me ajudou a ter palavras com que explicar sua maravilhosa presença".

Agora permita que eu faça uma pergunta: com que se parece Deus? Deus possui forma? Ele se parece com o ser humano? Como se pode explicar a presença de Deus?

Deus é como o pensamento. Se você não tiver nenhum pensamento, Deus não terá um canal por meio do qual falar a você. Você não pode tocar Deus com as mãos nem respirar Deus como se respirasse o ar; Deus não pertence ao mundo dos sentidos. Só é possível encontrar-se com Deus por meio de sua vida de pensamentos.

Os pensamentos de Deus vêm mediante sua Palavra ou por meio de seu Espírito Santo. Os pensamentos de Deus tocam seus pensamentos, e é aí que você se encontra com ele. Assim, se não renovar sua vida de pensamentos e se não renovar sua mente após a conversão, Deus não se manifestará verdadeiramente a você.

Muitas pessoas ainda vivem com a mente antiga depois da conversão. Essa maneira antiga de pensar é limitadora; dessa forma, Deus fica limitado pelo tipo errado de vida de pensamentos. A fim de andar intimamente com Deus, é preciso renovar a mente e os pensamentos. Se não renová-los, Deus não poderá descer e ter comunhão com você. Deus não habitará uma mente poluída, assim como peixes e pássaros não permanecem num lago poluído.

É preciso renovar seus pensamentos para que a fé surja por meio de sua vida de pensamentos. A fé simplesmente não surge do espírito interior. A fé vem pelo ouvir e o ouvir pela Palavra de Deus.

Primeiro é preciso que a pessoa ouça. Ao ouvir, a Palavra de Deus chega-lhe aos pensamentos; mediante a vida de pensamentos, os pensamentos de Deus entram em seu espírito e produzem fé. Portanto, se a pessoa não renovar seus pensamentos, não poderá compreender completamente a Palavra de Deus. Sem a renovação da mente e sem ouvir a Palavra, a pessoa não pode ter fé, pois a fé vem pelo ouvir.

E o que ouvimos? Ouvimos os pensamentos de Deus. Seu pensar absorve os pensamentos de Deus e produz a fé, e, por meio da fé, Deus pode fluir de você para os outros. Sua vida de pensamentos é demasiadamente importante; você deve renovar sua mente. Há três passos que pode usar para renovar sua mente. É preciso segui-los, a fim de conseguir a renovação de sua vida de pensamentos.

ATITUDE DE PENSAMENTO TRANSFORMADA

O primeiro passo é mudar seu pensamento, de uma atitude negativa, para uma atitude positiva. A título de exemplo, observemos Pedro, o discípulo de Jesus Cristo.

Os discípulos de Jesus estavam em um barco no mar da Galileia. Era uma noite escura e tempestuosa, e as ondas eram tão altas que o barco estava a ponto de virar. Lutavam desesperadamente para manter o barco flutuando, quando de repente viram Jesus Cristo andando sobre as águas em sua direção.

Naquela época, havia uma crença popular que dizia que o marinheiro que visse um fantasma no mar, seu barco afundaria. Por isso, quando os discípulos pescadores viram a Cristo, ficaram paralisados de medo, pensando que seu barco iria afundar e que iriam afogar-se.

Mas Jesus falou:

— Sou Cristo. Não tenham medo.

Pedro gritou:

— Se é mesmo Jesus, ordene que eu vá até aí.

Pedro sempre falava sem pensar. Era um homem terrivelmente emocional, mas tinha o dom da audácia, de modo que Deus o usou.

Cristo, então, disse que ele fosse. Ao ouvir essa ordem, imediatamente aceitou a palavra de Jesus, e seu pensar foi renovado.

Humanamente falando, Pedro jamais poderia andar sobre a água, mas, ao aceitar a palavra de Jesus Cristo, instantaneamente sua mente foi renovada. Pedro mudou seus pensamentos, de uma atitude negativa, para uma atitude positiva. Pedro jamais acreditaria poder andar sobre as águas, mas, ao ouvir o mandamento de Jesus e aceitar essa ordem, mudou seu pensamento; creu que poderia andar sobre as águas. Transformou seu modo de pensar, e os homens sempre agem de acordo com os seus pensamentos.

Quando Pedro renovou seus pensamentos e creu que poderia andar sobre as águas, agiu de acordo com isso e saltou do barco. A noite continuava escura e tempestuosa, e as ondas estavam muito altas. Mas Pedro arriscou sua vida com ousadia, lançando-se ao mar pela fé, e começou a andar sobre as águas.

Os milagres sempre seguem uma mente renovada. Quando percebeu que era capaz de andar sobre as águas, Pedro enfrentou as ondas. Seus pés molharam-se na espuma; deu passos sobre a crista das ondas. Estava andando sobre as águas!

Mas, de repente, olhou ao redor. Viu os negros vales criados pelas ondas e começou a voltar como seu antigo modo de pensar: "Olhem para mim", pensou ele. "Não sou um ser humano? Estou andando sobre as águas, e não somos capazes de fazer isso. Nós, seres humanos, devemos andar na terra, não na água. Não sou um peixe, mas olhem para mim. Estou andando sobre as águas. Isso está errado... é impossível fazer isso!"

Ele mudou seu padrão de pensamento. Pensou que não mais conseguiria andar sobre as águas e, instantaneamente, começou a afundar.

Deus se relaciona com cada um de nós por meio de nossa vida de pensamentos. Quando Pedro recebeu a palavra *rhema* de Cristo, renovou seus pensamentos, por isso pensou que poderia andar sobre as águas e andou. Mas, ao mudar seus pensamentos e achar isso impossível, imediatamente começou a afundar.

Esse é um conceito muito importante, pois os seres humanos agem segundo seu modo de pensar. Se você pensa ser um rei ou uma rainha, agirá como rei ou rainha. Se pensa ser indigno e não ter valor algum, agirá como se fosse indigno e não tivesse valor. De maneira que é vital renovar os pensamentos e pensar positivamente. Permita-me ilustrar esse ponto com um exemplo real.

Conheci, certa vez, um médico que se dizia ateu. Muito sofri por causa dele; por muito tempo, ele se opôs ao meu ministério, desafiando-me a fé, atacando minhas palavras e crenças.

Um dia, esse médico sofreu um derrame e ficou paralítico. Por causa de sua paralisia, ia morrendo lentamente. Então, ele veio à minha igreja pedindo que eu orasse por sua cura.

Muita gente se gaba de seus pontos de vista ateus; entretanto, quando essas mesmas pessoas experimentam a noite escura e se encontram com as ondas tempestuosas, seu ateísmo enfraquece bastante.

O médico veio a minha igreja, e orei por ele. Ele recebeu a oração da fé, levantou-se de sua cadeira e saiu andando com passos firmes. Todo mundo batia palmas e gritava, louvando a Deus.

No domingo seguinte, compareceu à igreja andando sem ajuda de *ninguém*. Novamente *pediu* que eu orasse por ele, mas eu estava ocupado demais e não pude orar. Ao ver que eu não poderia orar pessoalmente por ele, mudou seu modo de pensar; seus pensamentos regrediram, e ele voltou a seu antigo estado. Por não receber a oração da fé, tornou-se incrédulo de novo. Ao sair de meu escritório em direção ao carro, ele caiu, e sua esposa teve de chamar uma ambulância a fim de levá-lo para o hospital. Ele regrediu por ter mudado seus pensamentos. O poder de Deus o deixou, e, assim como Pedro começou a duvidar e a afundar no mar da Galileia, assim o fez o médico, perdendo-se para seus temores e de novo tornando-se paralítico.

Os pensamentos são importantes. Não seja negligente em renovar sua vida de pensamentos. Seja totalmente positivo em seu pensar. Não pense negativamente. Deus é luz e nele não há treva alguma; não há nada negativo em Deus, pois nele só reside o positivo. Coisas positivas estão acontecendo, de modo que, para ter comunhão com Deus, é preciso você renovar a mente e pensar positivamente. Alimente seus pensamentos com as Escrituras, pois a Palavra de Deus está cheia de vida positiva.

Tenha também cuidado ao alimentar-se da Palavra de Deus para não restringir sua maneira de pensar aos padrões tradicionais de pensamento.

Seja revolucionário. Muita gente está presa e pensa somente de maneira tradicional, ortodoxa. Portanto, Deus é incapaz de realizar as grandes obras que deseja realizar por meio delas. Mas, se receber a Palavra de Deus e revolucionar sua maneira de pensar, alcançará alturas muito além de suas limitações atuais.

Quando estou na Coreia, tenho uma reunião com meus cem pastores associados todas as manhãs. Das 9 horas às 9h30 eu os desafio a revolucionar seu modo de pensar.

— Não pensem somente da maneira tradicional — exorto-os. — Não sejam levados pelos pensamentos e ensinos de Cho. Sigam a Palavra de Deus. Alimentem-se da Palavra de Deus. Revolucionem sua vida de pensamentos! Expandam sua vida de pensamentos de acordo com as Escrituras. Assim, Deus terá liberdade absoluta de expressar-se por meio de seus pensamentos.

Depois de dizer essas palavras, meus pastores assistentes tornam-se grandemente motivados. Recebem a Palavra e, se tiverem um pensamento realmente revolucionário, o executam. Depois, vejo resultados. Não intervenho em sua obra, a não ser que estejam tendo problemas.

Uma vez que delego autoridade, essa autoridade permanece delegada. Já não me preocupo com ela. É mediante esse método positivo que trabalho com meus assistentes, pastores de sucesso, cada um responsável pelas necessidades de parte dos 50 mil membros adultos de nossa igreja.

PENSAR EM TERMOS DE MILAGRES

Tendo mudado sua atitude de pensamento, de negativa, para positiva, o segundo passo será treinar-se constantemente a fim de pensar em termos de milagres. Essa atitude de pensamento pode ser vista na vida dos discípulos de Cristo.

Certa vez, Jesus foi para o deserto com 5 mil pessoas o seguindo. Além dos 5 mil homens, provavelmente também havia mulheres e crianças. Na realidade, então, deveria haver cerca de 20 mil pessoas ao todo. Aproximando-se a tarde, o povo teve fome. Estava ficando escuro e frio, e as mulheres e crianças começaram a ficar para trás ao longo do caminho.

Cristo chamou Filipe:

— Filipe, posso ver que todo esse povo está com fome. Alimente-o.

Filipe, pois, recebeu a ordem de nosso Senhor Jesus Cristo para alimentar essa grande multidão. Se fôssemos apresentar esse acontecimento em termos de hoje, podemos muito bem imaginar Filipe tentando organizar uma comissão para estudar a maneira de alimentar esse povo todo. Imaginamos o discípulo recrutando membros para sua comissão. Os escolhidos seriam discípulos com alto grau de inteligência.

Filipe daria abertura à reunião da comissão, como relator que era, dizendo:

— Cavalheiros, nosso Senhor Jesus Cristo ordenou-me que alimentasse essas 20 mil pessoas no deserto. Assim, nossa comissão tem a responsabilidade de encontrar uma maneira viável de realizar tal proeza. Os senhores têm alguma ideia?

Certo indivíduo levantaria a mão e, depois de Filipe ter-lhe dado a palavra, diria:

— Não sabe que estamos no meio de um deserto? Aqui não é o centro de Jerusalém. É absolutamente impossível até mesmo pensar em alimentar essas pessoas.

— Também penso assim — Filipe poderia ter respondido. — Secretário, por favor, anote isso.

Outro cavalheiro levantaria a mão:

— Senhor relator, desejo fazer uma pergunta. Temos dinheiro suficiente? Precisaríamos de pelo menos 200 denários para alimentar uma pequena parte dessa multidão. Temos dinheiro suficiente?

— Não — responderia Filipe — não temos nem um centavo.

— Bem, então o senhor está louco se pensa que vai alimentá-los — diria o homem.

— Sim, concordo com você — responderia Filipe. — Senhor secretário, anote isso também.

Um terceiro cavalheiro tomaria a palavra:

— Senhor relator, sabe de alguma padaria capaz de produzir pão suficiente para todo esse povo de uma vez só?

— Não — diria Filipe — não conheço padaria alguma pelas redondezas.

— Bem, então levaria semanas para alimentar a multidão, e isso é impossível!

— Sim... concordo com você — diria Filipe. — Senhor secretário, anote isso também.

Então outro discípulo falaria:

— Desejo expressar minha opinião, também, senhor relator. Como veem, já está ficando tarde. Por que não os despedimos dizendo-lhes que vão e encontrem um lugar onde passar a noite e comer?

Em seguida, seria concluída a reunião, e Filipe reuniria num relatório as informações obtidas. Mas todas essas informações seriam somente de natureza negativa e impossível. Iriam contra os ensinos de Jesus Cristo e se oporiam diretamente a sua ordem.

Filipe, então, informaria a Jesus. Mas, ao começar a falar, André chegaria com cinco pães e dois peixinhos.

— André — exclamaria Filipe — deixe de brincadeira! Só isso para alimentar 20 mil pessoas! Você perdeu o juízo!

Mas André não lhe deu atenção. Simplesmente trouxe os cinco pães e os dois peixinhos a Jesus.

— Jesus, isto não é suficiente para alimentar tanta gente, mas o trouxe de qualquer maneira.

André tinha ouvido a ordem de Jesus; sua mente aceitou o mandamento. Embora duvidasse, trouxe a Cristo o alimento que encontrou. André possuía o pensamento da possibilidade e, mediante seu pensamento, captou a visão de Jesus Cristo.

Em seguida, Jesus abençoou os pães e os peixes, multiplicou-os, e a grande multidão foi alimentada.

Todos os cristãos pertencem a Jesus Cristo. Mas em Cristo há duas escolas de pensamento: a escola de Filipe e a escola de André. Infelizmente, muitas igrejas pertencem à escola de Filipe. Falam somente acerca do impossível. Clamam que estamos num deserto, que é tarde demais e que as pessoas não podem ser alimentadas. Falam com pouca fé. Falam do impossível.

A que escola pertence você? Sei que muitos vão a escolas e universidades diferentes, mas a que escola pertence você no que diz respeito a seus pensamentos? Você pertence à escola de Filipe ou à de André?

Quando Deus me falou ao coração em 1969, dizendo-me que construísse um templo para acomodar 10 mil pessoas, fiquei apavorado. Em todos os instantes, senti-me como Filipe. Conversei com o corpo diaconal, e todos pensavam como discípulos de Filipe. Diziam-me ser impossível.

Ao falar, novamente, com meus 600 diáconos, descobri que todos eles pensavam da mesma maneira. De modo que eu também me uni à escola de Filipe, fui a Jesus e disse-lhe que não poderia construir o templo. Mas em meu coração Jesus ordenou: "Não pedi que você fosse conferenciar com os anciãos e diáconos. Disse-lhe que construísse o templo".

"Senhor", respondi, "sabe que nada tenho com que construir. Será preciso muito mais dinheiro do que disponho no presente".

Então, por meio do Espírito Santo, Jesus falou-me ao coração: "O que você tem que possa dar pessoalmente?".

Em meu coração, sabia o que ele estava pedindo, mas me recusava a reconhecer seu pedido e disse: "Jesus, não me peças que faça isso. Casei-me com 30 anos de idade, e todos esses anos tenho economizado dinheiro a fim de construir uma linda casa e dá-la a minha esposa".

Mas o Senhor respondeu: "Dê o que você possui".

"Pai, são somente 20 mil dólares", clamei. "Isso não dá para construir o templo e o complexo de apartamentos. Precisaremos de 5 milhões. A quantia que vou obter pela casa não será suficiente."

Mas Deus disse: "Venda sua casa e traga esse dinheiro a mim com fé".

"Oh, Deus, isso é terrível", respondi. "Como posso fazer isso?"

"Se é para você crer em minha Palavra algum dia", admoestou-me o Senhor, "primeiro deve estar disposto a dar o que possui e o que tem".

Para a mulher coreana, o lar é tudo. É o lugar onde cria os filhos e onde constrói sua vida; é um bem precioso para ela. Por isso, temia dizer a minha esposa e comecei a orar com dor no coração. Orei para que minha esposa consentisse em vender nossa casa.

Nessa noite, trouxe presentes para ela: flores e xales.

— Por que está me dando esses presentes? — perguntou ela. — Você está preocupado que não o ame mais?

Mas ela ficou contente e preparou a refeição vespertina alegremente.

— Oh, louvado seja o Senhor — respondi. — Estou tão feliz por tê-la escolhido. Se Deus me pedisse que escolhesse outra garota, ainda escolheria você. A cada dia que passa, você se torna mais linda para mim.

Depois de alguns instantes, pensando ter chegado o momento certo, disse:

— Querida, tenho um grande problema.

Ela olhou para mim preocupada e disse:

— Conte-me.

— Vamos construir um enorme templo, com espaço para 10 mil pessoas... — disse-lhe. — Vai custar 5 milhões de dólares. Ao orar sobre isso, o Espírito Santo falou-me ao coração dizendo que devo conseguir o dinheiro para a construção e que devo começar com meu próprio lar. Deus deseja que lhe entreguemos cinco pães e dois peixinhos... e esses cinco pães e dois peixinhos são nossa casa...

Minha esposa ficou pálida; depois, me olhando bem dentro dos olhos, disse:

— Esta casa é minha, não sua. Não ouse tocar nela! Pertence a mim e a meus filhos. Você não pode abrir mão dela.

Sua reação foi a que eu temia. Então, dirigi-me ao Senhor em oração: "Senhor, fiz o que podia. O resto é com o Senhor. Envia teu Espírito Santo a fim de transformar-lhe o coração para que ela se renda".

Nessa noite, enquanto orava, pude ver minha esposa revirando-se em seu sono. Soube, então, que o Espírito Santo estava operando. Disse ao Senhor: "Ó Deus, continua a tocá-la".

E o Senhor a tocou; ela não pôde dormir por quase uma semana. Seus olhos ficaram inchados e vermelhos. Finalmente, veio a mim, dizendo:

— Não posso suportar mais. Não posso recusar o desejo do Espírito Santo. Desistirei da casa.

Assim, ela trouxe a escritura da casa, e, juntos, pegamos o documento e doamos nossa casa para a construção do templo. Agimos como André, que, embora tivesse somente cinco pães e dois peixinhos, creu que Jesus poderia pegar esse pouco de alimento e, com ele, alimentar toda a multidão. Nós, também, pertencíamos à escola de André.

Certo dia, entretanto, surgiu um problema com respeito ao terreno que pretendíamos construir o edifício. O governo coreano estava desenvolvendo um projeto chamado *Ilha Yoido*. Essa propriedade seria modelada à maneira da ilha de Manhattan em Nova York. Nesse terreno, estavam construindo edifícios do governo e só permitiriam ali uma igreja. Todas as igrejas da Coreia fizeram o pedido de construção: presbiterianos, metodistas, batistas, católicos, budistas e confucionistas. Todos esses pedidos foram examinados e submetidos ao Congresso para a decisão final.

Eu também fiz um pedido. O encarregado olhou-me e disse:

— A que denominação o senhor pertence?

— Assembleia de Deus — respondi.

— O senhor se refere àquela igreja onde louvam a Deus de maneira alta e barulhenta? E oram pelos doentes e falam em línguas estranhas?

— Exatamente — respondi.

Ele sacudiu a cabeça.

— O senhor sabe que a igreja vai ficar bem em frente do edifício do Congresso. Essa igreja tem de ter uma aparência digna, e a sua não tem. Não podemos aceitar sua inscrição.

Apesar disso, fiquei intimamente alegre, pois isso me daria a desculpa que precisava para não construir o templo. Voltei ao Senhor em oração: "Senhor, ouviste o que ele disse, não é? Não temos dignidade suficiente para construir aqui".

Você pode levar ao Senhor todas as desculpas que puder arranjar, mas o Espírito Santo sempre tem a resposta. O Espírito Santo respondeu, dizendo: "Quando foi que lhe disse para pedir permissão para a construção?"

"Então, não tenho de fazer a inscrição?" — perguntei.

"Meu filho", respondeu ele, "você não deve seguir o caminho que agora trilha. Deve andar em direção oposta, no caminho da oração e da fé".

Sendo assim, comecei a jejuar e a orar. Então, em meu coração, a sabedoria do Espírito Santo disse: "Vá e descubra quem está a cargo do projeto de desenvolvimento dessa ilha".

Fui e logo descobri que o vice-prefeito estava a cargo do desenvolvimento daquela área toda. Comecei a indagar de sua vida pessoal e familiar. Descobri que a mãe dele era membro da igreja presbiteriana. Portanto, fui visitá-la, orei com ela, e ela recebeu o batismo no Espírito Santo. Em seguida, começou a frequentar minha igreja.

Na Coreia, a sogra tem muito poder e autoridade sobre a nora. Recomendei a essa senhora que trouxesse a nora à igreja, dizendo-lhe:

— Sua nora tem de ser salva.

Assim, ela orou, e eu também orei. Ela trouxe a mulher do filho à igreja. Depois de ouvir o sermão, ela entregou o coração a Cristo e foi cheia com o Espírito Santo.

Em seguida, comecei a trabalhar por intermédio delas, pensando comigo mesmo: "Se consegui a esposa, sei que conseguirei o marido". Por isso, lhe dei a instrução:

— Você tem de trazer seu marido à igreja.

— Mas ele é ocupado demais — respondeu ela.

— Você não quer que ele vá para o inferno, não é mesmo? — perguntei com severidade. — Portanto, traga-o à igreja.

Quando, afinal, ela o trouxe à igreja, preguei uma mensagem poderosa. Embora não olhasse diretamente para o rosto dele, estava, na verdade, pregando para ele. Miraculosamente, ele entregou o coração para o Senhor.

No domingo seguinte, ele entrou em meu escritório.

— Pastor, o senhor sabe que estou encarregado do desenvolvimento da ilha Yoido. Estamos dando permissão para que uma igreja coreana construa seu templo ali. Gostaria que levássemos nossa igreja para lá.

Eu queria gritar, mas o Espírito Santo não me permitiu. Às vezes, o Espírito Santo opera de modo muito misterioso; o Espírito Santo deu-me a impressão de que eu deveria dizer "não". Mas argumentei: "Não. Eu trabalhei tanto para isso". Embora meu coração clamasse para dizer "sim", respondi:

— Não, senhor vice-prefeito. Para fazer isso, seria preciso uma soma exagerada de dinheiro e teríamos de comprar um lote de 16 mil metros quadrados. Isso custaria mais de 5 milhões de dólares. Acho impossível. Para piorar as coisas, nossa igreja é considerada uma igreja pentecostal não digna. Nem mesmo aceitariam minha inscrição.

Ele sorriu e disse:

— Acho que tenho um jeito. Ore durante uma semana e depois voltarei. Dê-me a resposta depois de uma semana, para que eu me desincumba do assunto rapidamente.

Orei durante uma semana, e, na semana seguinte, ele voltou a meu escritório.

— Pastor, se o senhor tomar a decisão de levar a igreja para lá, farei todos os arranjos para que tenhamos o melhor local. Também cuidarei de todos os papéis, e as despesas ficarão por conta de meu escritório. Enviarei meu representante ao Congresso a fim de conseguir todos os acordos necessários e farei todo o trabalho burocrático. Farei tudo pelo senhor. Garanto-lhe que conseguirá o terreno. Mais do que isso, tomarei todas as providências para que a igreja compre o terreno a crédito.

Nesse instante, o Espírito Santo disse-me ao coração: "GRITE!".

— Senhor vice-prefeito — disse eu — aceito.

Deus impediu-me de dizer "sim" por uma semana, e como resultado não somente conseguimos o terreno de modo miraculoso, mas também não tivemos de preparar toda a papelada.

Em seguida, fui assinar o contrato com uma construtora. Logo depois, lançaram os alicerces e começaram a construção do templo e do complexo de apartamentos. Esse vice-prefeito agora é um dos anciãos de minha igreja.

De maneira similar, sua fé poderá ser testada. Se você tem um projeto pequeno, será testada de modo pequeno; se tiver um projeto grande, será testada de maneira grande. Jamais pense que sua fé sempre seguirá em meio a jardins de rosas. Você passará por turbulência, mediante a qual Deus provará sua fé.

Até esse ponto da construção do templo, eu ainda pertencia à escola de André e com grande fé orava pelos problemas que iam surgindo.

No entanto, o dólar começou a desvalorizar, e o construtor rescindiu o contrato dizendo que precisava aumentar o preço da construção do prédio da igreja. Chegou a crise do petróleo, e todos os bancos fecharam as portas para mim. Meu povo começou a perder o emprego, e o orçamento da igreja mal dava para pagar os juros dos empréstimos. Não somente não conseguia pagar os que trabalhavam na igreja, mas eu também não recebia meu salário.

Então, a companhia tentou me processar, porque eu não tinha como pagar o aumento necessário. E as contas começaram a chegar uma após outra: conta de luz, conta de esgoto, conta de construção. Contas empilhavam-se sobre minha escrivaninha, mas eu não tinha o dinheiro para pagá-las. Não tinha dinheiro nem para contratar um advogado. Os construtores começaram a desistir, porque eu não podia pagar-lhes o salário. Ninguém quer permanecer num barco que afunda, e eu afundava rapidamente.

Uma vez que havíamos vendido nossa casa e não tínhamos para onde ir, levei minha família para um apartamento inacabado no sétimo andar do complexo de apartamentos da igreja. Não tínhamos água encanada nem calefação, e fazia muito frio.

Todas as noites eu ia para o apartamento vazio, e todas as noites tremíamos de frio. Não tínhamos comida, e tudo parecia escuro demais. Estava chegando ao fundo do poço, logo me tornando um discípulo de Filipe. Disse a mim mesmo: "Sim, cometi um erro. Nunca deveria ter acreditado em Deus dessa maneira. Deveria ter pensado conforme o padrão tradicional e nunca ter começado a andar sobre as águas. Esse negócio de fé é completamente falso. Todas as vozes que ouvi em minha vida de oração devem ter sido da própria consciência, não do Espírito Santo. Sim, cometi um erro". Comecei a ser dominado por um sentimento de autocomiseração.

As pessoas foram abandonando minha igreja. Todos os relatórios eram negativos; minha família até começou a ter dúvidas a meu respeito. Tudo parecia impossível; eu estava cansado e com fome.

"Bem, é isso...", disse eu. "É o fim. Esta é a assim chamada vida de fé. Vou pôr fim a minha vida."

"Vou me matar", continuei. "Vou morrer. Mas não desejo ir para o inferno. Tenho trabalhado para o Senhor todos esses anos e, pelo menos, deveria receber alguma coisa em troca. Se o inferno for pior do que isso, por que devo ir para lá?"

"Não posso viver num mundo como este. Vou me suicidar, mas, por favor, Deus, aceita minha alma e envia-me para o céu!"

O impacto da oração foi mais poderoso do que eu pensava. Enquanto orava, ouvi uma voz que dizia: "Você é um covarde. Deseja se matar e tornar-se objeto de escárnio para meu povo. Vai permanecer covarde? Ou é um homem de fé?".

"Sim", admiti, "sou covarde".

Novamente a voz falou:

"Não somente irá para o inferno, mas também levará consigo muitos de seus membros que confiam em você! Tomou dinheiro emprestado de alguns dos anciãos e de alguns membros. Lembre-se dos milhares de dólares que tomou emprestado das preciosas irmãs da igreja. Todos confiaram em você. Agora quer se matar, cometer suicídio.

"Causará uma reação em cadeia. Por causa de sua covardia, muitos perderão a fé. Terão lares desfeitos, e alguns também cometerão suicídio. Que repercussão se fará sentir no mundo cristão!"

Essas palavras derramaram-se em meu coração. Caí de joelhos, chorando: "Ó Deus, então o que posso fazer? Por que não me deixas morrer?".

Deus respondeu: "Você não pode morrer, pois precisa perseverar. Precisa ver todas as dívidas pagas; todas as dívidas do povo devem ser saldadas".

Levantei-me, deixei o sétimo andar e fui para meu escritório. Ajoelhei-me, clamando e chorando. As novas de minha condição desesperada começaram a espalhar-se por entre o povo. Subitamente, experimentaram o reavivamento da fé, inclusive os que tinham saído da igreja.

— Salvemos nosso pastor! — clamaram. — Salvemos o homem de Deus!

Assim teve início um grande movimento chamado "Salvemos nosso pastor". Era um inverno muito frio, e não tínhamos aquecedores. Mas as pessoas começaram a lotar, aos milhares, o primeiro andar do templo inacabado. Milhares também oravam e jejuavam muitos dias em seguida. Clamavam e oravam: "Salvem o homem de Deus. Salvemos nosso pastor!".

Assim, Deus começou a se mover. As senhoras cortavam seus longos cabelos e traziam-nos ao altar a fim de fazer perucas que poderiam ser vendidas. Certo dia, em uma cena especialmente comovedora, uma senhora de 80 anos de idade, que não tinha filhos, nenhum sustento, mal podendo viver com a ajuda do governo, veio ao púlpito chorando e tremendo. Ela trazia uma velha tigela de arroz, dois palitos e uma colher. Em pé, chorando, disse:

— Pastor, quero vê-lo sair dessa situação. Quero vê-lo receber ajuda, pois seu ministério foi uma bênção tão grande para mim por tantos anos. Desejo fazer algo, mas não tenho dinheiro. Eis tudo o que possuo: esta velha tigela, estes dois palitos e esta colher. Desejo dar tudo para o serviço do Senhor. Posso usar papelão como prato e comer com as mãos.

Meu coração ficou despedaçado.

— Senhora — disse eu — não posso aceitar sua oferta. É tudo o que a senhora tem! A senhora precisa desses utensílios a fim de tomar suas refeições. Não posso aceitá-los.

Ela começou a chorar, dizendo:

— Será que Deus não aceitaria o presente de uma velha que está para morrer? Será que ele não aceitaria? Sei que isso não poderá ajudá-lo muito, mas desejo dar algo.

De repente, um industrial levantou-se e disse:

— Pastor, quero comprar esses objetos.

Ele pagou quase 30 mil dólares por uma tigela velha, dois palitos e uma colher.

Isso acendeu o fogo. As pessoas começaram a vender suas casas espaçosas e a mudar para apartamentos pequenos. Houve jovens casais que deram todo o salário de um ano para a igreja, decidindo viver pela fé.

Esse grande movimento deu resultados. Logo o dinheiro começou a chegar, e pude pagar os juros do empréstimo. Os bancos começaram a abrir as portas para mim. O mais espantoso: em menos de um ano, tudo começou a se encaixar nos devidos lugares. Paguei todas as dívidas, e ficamos livres até 1973. Não somente pude pagar os juros, mas também consegui os 5 milhões de dólares para terminar a construção do templo e do complexo de apartamentos.

Deus novamente provou que a escola de André é melhor e que pensar em termos de milagres é ter o pensamento que Deus deseja que tenhamos.

Muita gente acha que quando se tem fé tudo vai fluir facilmente e que teremos poucos problemas. Mas é importante lembrar que isso não acontece. Veja Abraão. Ele tinha fé, mas suportou tribulações por 25 anos. Jacó sofreu dificuldades por vinte anos; José, por treze; e Moisés, por quarenta. Os discípulos de Cristo passaram por tribulações e tentações durante toda a vida.

Não se deixe desanimar depois de passar por algumas semanas de dificuldades ou alguns meses de tribulação. Não deixe esmorecer as mãos em derrota, clamando: "Oh, onde está Deus?".

Deus está sempre presente, testando você. Às vezes, ele deseja fortalecer e fortificar-lhe a medula; e às vezes, enquanto você está sendo fortalecido, dá até para ouvir os ossos estalando. Mas, se você se firmar na Palavra de Deus e tiver fé, Deus jamais o desapontará. A fim de ilustrar esse ponto, contarei outra de minhas experiências.

Certa vez, assinei um cheque pré-datado de 50 mil dólares. O cheque deveria ser pago no dia 31 de dezembro. Comecei a buscar recursos de todas as fontes possíveis, mas não consegui nem um centavo. Se não depositasse esse dinheiro no banco na data certa, os jornais iriam dizer que o pastor da maior igreja evangélica da Coreia havia passado um cheque sem fundos.

Ao meio-dia do dia 31, data em que o dinheiro teria de ser depositado, eu orava: "Oh, Deus, gastei todo o meu dinheiro; mais do que eu tinha. Tomei dinheiro emprestado de muita gente. Pai, para onde irei? Não tenho lugar algum para onde ir".

Continuei a orar. O relógio marcou 13 horas, 14 horas, 15 horas. Minha esposa perguntou:

— Querido, você ainda não conseguiu o dinheiro?

— Não — respondi.

— Sabe que o último avião sai de Seul às 16 horas? Essa é sua oportunidade de fugir para os Estados Unidos.

— Não posso fazer isso. Não tenho como fugir de minhas responsabilidades — disse-lhe. — Não dá para fugir. E, se o fizesse, mancharia o nome de Jesus Cristo. Prefiro enfrentar o que quer que aconteça aqui na Coreia a fugir do país.

O banco fechava às 18 horas, e já eram 17 horas. Eu estava desesperado. Não podia ficar sentado nem de pé. Passei a andar para cima e para baixo como um leão enjaulado. Orei de novo: "Ó Deus, por favor, vem ajudar-me".

De repente, o Espírito Santo fez com que uma ideia fluísse em minha mente. Eu deveria ir ao presidente do banco e ousadamente pedir-lhe que me desse um cheque de 50 mil dólares.

"Pai!", respondi. "Devo estar perdendo o juízo. Esquentei tanto a cabeça que devo ter 'queimado os fusíveis'. Nada tenho para dar em garantia nem para hipotecar. Não preenchi nenhum pedido de crédito. E o Senhor quer que eu vá ao presidente do banco e peça um cheque de 50 mil dólares? Isso não faz sentido algum!"

Mas o Espírito Santo insistia: "Sim, realizo as coisas que não pertencem à ordem natural percebida pelos homens. Vá e faça o que lhe digo".

Chamei meu tesoureiro.

— Senhor Park, por favor, quer ir ao banco comigo? Vou pedir um cheque de 50 mil dólares ao presidente do banco.

Ele olhou para mim e começou a rir.

— O senhor realmente perdeu o juízo, não é? Hoje é o dia 31 de dezembro. São 17 horas, e o senhor não tem encontro agendado com ele. Deve existir uma fila de espera enorme para vê-lo. Além disso, não temos capital algum, nenhum avalista, nem garantia de ninguém. Não preenchemos formulário algum. É loucura!

Não vou com o senhor. Se o senhor deseja passar por bobo, vá sozinho. Eu não vou!

— Está bem — respondi. — Vou com a mente renovada. Você fica com sua mente tradicional.

Entrei no carro e corri para o banco. O estacionamento estava lotado, mas consegui encontrar uma vaga e estacionei o carro. Entrei no banco.

Humanamente falando, não tinha nenhuma oportunidade de falar com o presidente. O escritório da secretária dele estava cheio de gente.

"Querido Espírito Santo", afirmei, "vim até aqui. Por favor, dá-me mais instruções".

O Espírito Santo respondeu: "Ande corajosamente. Seja audaz. Aja como se fosse uma pessoa importante. Não preste atenção a ninguém mais, mas entre direto no escritório do presidente do banco".

Então me fiz de ousado e caminhei com toda a resolução. A secretária me viu e disse:

— Senhor, aonde vai?

Olhei diretamente em seus olhos sem dizer nada. Ela perguntou de novo:

— Quem é o senhor? Tem encontro marcado com o presidente? Qual é o seu nome?

De repente, tive uma inspiração.

— Venho da parte da mais alta autoridade — respondi.

Quis dizer que procedia da parte de Deus, mas ela entendeu que eu era um representante do presidente da Coreia, porque na Coreia o presidente é chamado de "a mais alta autoridade". Pensando que eu fosse um emissário especial do presidente, ela mudou de atitude. Tornou-se toda amável e me disse:

— Da parte da mais alta autoridade? Então pode entrar.

Dirigindo-se às pessoas que estavam esperando, disse:

— Deixem esse senhor passar.

Ela conduziu-me pessoalmente, fazendo-me passar à frente de todos, até o escritório do presidente do banco. Ao transpor a porta, orei de novo: "Querido Espírito Santo, cheguei até aqui. Agora o que devo fazer?"

O Espírito do Senhor veio sobre mim, assim como tinha vindo sobre outros homens de fé, e senti-me forte e audaz. O Espírito continuava a repetir: "Você é um filho do Rei, uma pessoa importante. Continue a agir como a grande personalidade que é". Assim, entrei ousadamente, sentei-me no sofá e cruzei as pernas.

O presidente do banco entrou, veio até mim com a mão estendida, perguntando sorridente:

— Que tipo de negócios tem o senhor? Com que propósito veio? Será que o conheço?

Não respondi a essas perguntas, mas disse:

— Senhor, vim aqui com um projeto tremendo e vou lhe fazer um grande favor.

— Um favor? — perguntou ele com certo ar de estranheza.

— Sim. Se o senhor me fizer um pequeno favor, posso trazer-lhe 10 mil contas novas para o princípio do ano — disse-lhe.

— Dez mil contas novas? — exclamou ele.

— Apanhe o telefone e peça informações a meu respeito. Sou o doutor Yonggi Cho, pastor da maior igreja evangélica da Coreia. Nossa igreja possui mais de 10 mil membros, e tenho grande autoridade sobre todos esses cristãos. Posso fazer com que todos eles transfiram suas contas para seu banco no ano que vem. Far-lhe-ei esse tremendo favor se o senhor me fizer um pequeno.

Ele chamou a secretária e pediu que ela fizesse as averiguações necessárias. Quando todos os dados foram confirmados, o presidente do banco dirigiu-se a mim, dizendo:

— Qual é o favor que posso prestar-lhe?

— Dê-me um cheque de 50 mil dólares — disse-lhe. — Não tenho tempo de preencher todos os papéis. Mas o senhor é um homem de negócios, e eu estou no negócio do Rei. Muitas vezes, o homem de negócios assume um grande compromisso sem nada, guiado somente por sua fé e confiança de que tudo sairá bem. Quando se trata de pequenos negócios, temos de usar assinaturas e papeladas, mas, quando se trata dos grandes, passamos por cima dessas banalidades e confiamos que teremos êxito. Se o senhor for mesmo um grande homem de negócios, como creio que é, fará isso por mim.

O presidente chamou o vice-presidente, que disse:

— O senhor não pode fazer isso. Estará colocando o pescoço na guilhotina. Não são simplesmente 5 mil dólares; são 50 mil! Ele não tem garantia nem avalista. O senhor não pode fazer isso.

— Se o senhor não o fizer — interrompi — tenho outros lugares aonde ir. Poderia fazer esse favor ao banco Cho Heung.

O homem assentou-se balançando a cabeça. Então, disse:

— Senhor, tenho um sentimento estranho. Nunca senti isso antes. Confio no senhor. Se não confiasse tanto no senhor, jamais faria isso. Mas gosto de sua ousadia e de sua fé. Ao assinar este cheque, estarei colocando toda a minha carreira e vida em suas mãos, e esta será a primeira e última vez que o farei. Mas desta vez exporei meu pescoço. Traga-me um cheque de 50 mil dólares — disse ele ao vice-presidente. — Confio que o senhor cumprirá sua promessa — disse-me ele enquanto preenchia um cheque de 50 mil dólares de sua conta pessoal.

Ao sair do escritório com o cheque nas mãos, parecia que eu tinha 3 metros de altura. Uma vez mais, estava na escola de André. Depositei o dinheiro justamente às 18 horas, enquanto o banco estava fechando, e me salvei.

Muitas vezes, Deus espera até o último instante. Ao renovar sua mente e aprender a andar com Deus, deve persistir até o último momento. Não fique apavorado. Renove sua vida de pensamentos. Não se restrinja pelos pensamentos tradicionais, estude a Palavra de Deus. Esse é o livro que pode renovar a mente e enchê-la de pensamentos positivos, aprendendo a pensar em termos de milagres.

DIRECIONE SUA MENTE PARA O SUCESSO DE DEUS

O terceiro passo para uma mente renovada é direcioná-la para o êxito. Permeie sua mente com a consciência de vitória e de abundância. Deus jamais falha. De modo que, se estiver recebendo os pensamentos de Deus, sempre terá êxito.

Deus jamais perde uma guerra. Ele é o vencedor eterno, e você deve conscientizar-se da vitória. Deus jamais tem falta de coisa alguma. Você precisa transbordar dessa consciência.

Essa conscientização é importante. Se você tiver uma conscientização de inferioridade, pobreza, doença e fracasso, Deus nunca poderá operar.

Deus é seu socorro, sua abundância, seu êxito. Deus é sua vitória. Se duas pessoas não estiverem de acordo, como poderão trabalhar juntas? Para andar e trabalhar com Deus, você deve, pois, enxertar esse tipo de consciência de Deus à sua.

Renove sua mente. Pense constantemente em termos de sucesso, de vitória e de abundância. Tendo renovado completamente seu processo de pensamento, receberá a palavra *rhema* de Deus. Ousadamente, assimile a Palavra de Deus em sua vida de pensamentos. Por meio da oração, produza a fé; por meio da fé, você poderá andar com a cabeça erguida.

Olhe somente para o Senhor. Embora talvez não sinta nada, não toque nada, seu futuro pareça obscuro, ainda assim não tenha medo. Você está vivendo pelo conhecimento revelado. Está vivendo com novos pensamentos, pensamentos de Deus, pensamentos de sua Palavra, a Bíblia.

Jesus Cristo é o mesmo ontem, hoje e para sempre. Deus Jeová jamais muda. A Palavra de Deus jamais cai no solo sem se cumprir.

Não podemos viver só de pão, mas pela Palavra de Deus. Somos os filhos justificados de Deus e devemos viver pela fé. Em Jesus Cristo, não há diferença de cor nem de raça. Todos nós pertencemos a uma única raça, a raça de Jesus Cristo. Vivemos pelo seu pensar. Portanto, renove sua mente e reeduque sua vida de pensamentos.

Pense grande. Tenha grandes objetivos. Você tem uma única vida para viver, por isso não se arraste no pó. Não viva com uma consciência de fracasso. Sua vida é preciosa para o Senhor. Você deve dar alguma boa contribuição a este mundo. Jesus Cristo habita gloriosamente em cada cristão; portanto, você tem recursos inesgotáveis em seu íntimo.

Cristo é tão poderoso hoje quanto o foi 2 mil anos atrás. Você pode renovar seu pensamento enxertando os pensamentos de Jesus Cristo em seu coração; pensando positivamente; pensando em termos de milagres; desenvolvendo uma orientação para o êxito, para a vitória e para uma consciência de abundância. Isso lhe dará o fundamento no qual ver a Palavra de Deus em sua mente, renovando-a por completo. Então, verá ocorrer grandes milagres.

A LEI DO PENSAR-PEDIR

Efésios 3.20 diz: "Àquele que é capaz de fazer infinitamente mais do que tudo o que pedimos ou pensamos, de acordo com o seu poder que atua em nós...". Chamo isso de "a lei do pensar-pedir". Muitas pessoas acham que receberão pelo simples pedir. Deus dá respostas, mediante sua vida de pensamentos, "infinitamente mais do que tudo o que pedimos ou pensamos".

O que você pensa? Você pensa pobreza? Você pensa doença? Pensa impossibilidade? Pensa negativamente? Pensa fracassos? Se orar dessa maneira, Deus não terá o canal pelo qual fluir.

Qual é sua vida de pensamentos? Você renovou sua vida de pensamentos? Deus está disposto a agir abundantemente em sua vida, mas será por meio da renovação de seu pensamento.

Você deve ler a Bíblia. Não ler a Bíblia por costume ou prescrição religiosa. Não ler a Bíblia procurando novas formas legalistas de viver. Não ler a Bíblia por tradição histórica. Ler para alimentar sua mente e mudar por completo toda a ordem de seus pensamentos, para renovar, totalmente, sua vida de pensamentos. Encha seus pensamentos com a Palavra de Deus. Assim, Deus poderá fluir livremente através de sua vida e fazer, por seu intermédio, grandes coisas para a glória dele.

O endereço de Deus

Ao se tornar cristão, não somente é preciso reeducar a vida de pensamentos por meio do pensar positivamente, do pensar em termos de milagres, do desenvolvimento de uma orientação para o êxito, mas também estar cônscio da fonte de poder e de capacitação a nosso dispor.

A CONFUSÃO

Em 1958, comecei minha primeira obra de evangelização na pior e mais pobre região de nossa cidade. Não tinha treinamento nem capacitação para esse tipo de ministério. Em menos de três meses, meus sermões acabaram, e eu não tinha sobre o que pregar.

Talvez diga que, se fosse você, simplesmente sairia e contaria a história da salvação. Mas não se pode falar somente de salvação noite e dia. Para fazer um único sermão, eu passava toda a semana lendo a Bíblia, do Gênesis ao Apocalipse, consultando uma pilha de comentários bíblicos, mas não conseguia preparar um só sermão que valesse ser chamado assim. Esse problema fez-me sentir que não tinha sido chamado para o ministério.

Os pobres de meu bairro não estavam muito preocupados com o céu ou com o inferno. Viviam procurando subsistir, e sua preocupação e angústia era a sobrevivência. Não tinham tempo para pensar no futuro. Aonde quer que eu fosse, pediam-me arroz, roupas ou algum dinheiro para construir uma choça para se abrigarem. Mas eu não estava em melhores condições do que eles e também vivia em uma choça. Vestia-me mui humildemente e, muitas vezes, passava fome. Nada tinha para lhes oferecer.

Era uma situação desesperadora. Cria que Deus tinha todos os recursos imagináveis, mas nessa época ainda não sabia como obtê-los. Havia momentos em que parecia estar muito perto do Senhor. Era como se o estivesse tocando. No dia seguinte, sentia-me completamente desamparado.

Muitas vezes, fiquei muito confuso e perguntava-me se realmente estava vivendo a vida do Espírito. Dizia muitas vezes: "Oh, Senhor, sei que estou em Cristo Jesus!".

Mas no final de um dia difícil, ao tentar orar, descobria que estava completamente fora de contato com ele. De modo que dizia: "Pai, estou confuso. Estou tantas vezes dentro e fora do Senhor que não sei conservar-te sempre comigo". Foi então que começou minha luta para encontrar a presença permanente de Deus.

Os orientais, particularmente, requerem de sua fé religiosa conhecer a habitação, o endereço do deus que adoram. A maior parte dos orientais cresce sob a influência da adoração pagã e precisa da localidade, do endereço de seu deus, a fim de ir adorá-lo. Quando eu era pagão e necessitava encontrar meu deus, ia a um templo dedicado a ele e me ajoelhava perante sua imagem, dirigindo-me a ele pessoalmente. No paganismo, a pessoa tem de saber o endereço de seus deuses.

Mas ao entrar para o cristianismo, não pude localizar o endereço de nosso Deus. Isso sempre me trazia dificuldades ao coração. Na oração do Pai-nosso, sempre dizemos: "... Pai nosso, que estás nos céus!...". Pensava eu: "Onde é o céu? Bem, uma vez que a terra é redonda, para os que vivem no lado de cima, o céu está acima deles; mas para os que estão no lado de baixo, o céu deve ficar abaixo deles...".

Por isso, sempre que se mencionava "Pai nosso, que estás nos céus", eu ficava confuso.

"Pai, onde está o Senhor?", perguntava. "Estás aí? Aqui? Onde? Pai, por favor, dá-me teu endereço!"

Portanto, quando os orientais vêm para o cristianismo, têm uma luta real, pois não conseguem encontrar o endereço de Deus. Muitos vinham a mim perguntando:

— Pastor Cho, dê-nos pelo menos uma visão geral ou até mesmo uma imagem de a quem devemos nos dirigir. O senhor pede que acreditemos em um Deus, mas onde está ele?

No começo de meu ministério, respondia-lhes:

— Simplesmente falem com o Pai Celestial. Não sei seu endereço nem localidade. Às vezes, ele vem a mim; outras vezes, não.

Clamava a ele muitas vezes, pois não podia continuar esse tipo de pregação. Precisava ter um endereço definido. Dessa forma, comecei a procurar o endereço de nosso Deus.

Em minha imaginação, procurei Adão e disse:

— Senhor Adão, tenho certeza de que é o nosso primeiro pai. Sei que o senhor tem o endereço. Por favor, dê-me o endereço de nosso Pai Celestial.

Assim, ele me diria com bastante alegria:

— Bem, ele mora no jardim do Éden. Se for lá, encontrará o Pai.

— Quando o senhor caiu da graça — perguntei —, foi tirado do jardim do Éden. Qual é o endereço desse jardim?

— Bem, acho que não sei... — respondeu Adão.

Em seguida, por meio da imaginação, decidi ir visitar Abraão. Estava desanimado, mas cheguei a Abraão e disse:

— Senhor Abraão, o senhor é o pai da fé, e muitas vezes encontrou-se com Deus. Por favor, diga-me qual é o endereço do Pai.

— Bem — Abraão respondeu — sempre que eu precisava de Deus, erigia um altar, sacrificava um animal e esperava por ele. Às vezes, ele vinha a mim e, às vezes, não. Não conheço, pois, seu endereço.

Assim, deixei Abraão e fui até Moisés, dizendo:

— Senhor Moisés, certamente o senhor conhece o endereço do Pai, pois experimentou a presença dele continuamente.

— É claro que o conheço — respondeu Moisés. — Ele estava no tabernáculo construído no deserto. De dia, ele se encontrava na coluna de nuvem e, de noite, estava na coluna de fogo. Vá lá e encontrará Deus. É lá que ele mora.

— Mas — disse eu — quando os israelitas entraram em Canaã, o tabernáculo do deserto desapareceu. Onde está esse tabernáculo hoje?

— Não sei — respondeu Moisés.

Novamente desanimado, cheguei-me ao rei Salomão. Disse:

— Rei Salomão, o senhor construiu um templo magnífico com pedras e granito coloridos. Tem o endereço atual de Deus?

— É claro. Deus habita no maravilhoso templo de Salomão — disse-me ele. — Quando uma maldição ou uma doença se espalhava por meu país, o povo orava ao Deus que estava no templo, e Deus o ouvia e respondia às suas orações.

— Onde está o templo? — perguntei.

— Bem, sinto muito — retorquiu Salomão. — Esse templo foi destruído 600 anos antes de Cristo pelos babilônios. Não temos o endereço desse templo hoje.

Em seguida, fui a João Batista e disse:

— Senhor João Batista, certamente o senhor sabe o endereço de Deus.

— Sim — respondeu João. — Vá ao Cordeiro de Deus que tira o pecado do mundo, Jesus Cristo. Ele é o endereço de Deus.

Foi assim que, em minha viagem à procura do endereço de Deus, cheguei a Jesus. Certamente que em Jesus encontraria Deus. Mediante Jesus, Deus falou e, por meio de seu único

Filho, realizou milagres. Onde quer que Jesus habitasse, ali Deus também habitava.

Meu coração alegrou-se ao encontrar o endereço de Deus. Entretanto, ainda tinha uma grande pergunta. Jesus morreu, ressurgiu e subiu aos céus. Mas qual é o endereço de Jesus Cristo? Uma vez mais, voltei ao ponto de partida. Perguntei: "Jesus, onde estás, Senhor? Não tenho seu endereço e não posso dizer a meu povo onde habita".

A SOLUÇÃO

Logo me veio a resposta. Jesus disse: "Morri e ressuscitei. Enviei o Espírito Santo a cada um de meus seguidores. Disse-lhes que jamais os deixaria órfãos. Disse-lhes que oraria ao Pai, que ele lhes mandaria o Espírito Santo e que nesse dia vocês saberiam que eu estou no Pai, e o Pai, em mim, e que eu estou em vocês, e vocês estão em mim".

Gradativamente, comecei a ver que, por meio do Espírito Santo, Deus Pai e Deus Filho habitavam dentro de mim. Li em 2Coríntios que Deus nos selou e enviou seu Espírito Santo para dentro de nosso coração.

Encontrei o endereço de Deus. Descobri que seu endereço é *meu* endereço.

Assim, saí a meus cristãos e comecei a pregar com audácia:

— Podemos encontrar o endereço de Deus. Agora descobri onde ele mora. Seu endereço é meu endereço; ele habita em mim com todo o poder e toda a autoridade. Por meio do Espírito Santo, Deus Pai e Deus Filho habitam em mim e vão comigo aonde quer que eu vá.

— Ele também mora dentro de vocês; o endereço dele é seu endereço. Se ficarem em casa, ele estará lá; se forem para o trabalho, ele estará lá; se seu trabalho for na cozinha, ele está lá. Deus habita em seu coração, e seus recursos estão dentro de vocês.

— Irmãos — continuava eu — não tenho prata nem ouro. Não tenho alimento, nem arroz, nem roupa, mas tenho algo a lhes oferecer. Deus habita dentro de vocês. Aqueles que não possuem Deus em seu coração, venham a Jesus Cristo, recebam-no como seu Salvador pessoal, e o Criador do céu e da terra, com todos os seus recursos, habitará em seu coração. Ele satisfará todas as suas necessidades.

Ao ouvir essa mensagem, eles começaram a desenvolver sua fé.

Esse foi o ponto de partida de meu ministério e o fundamento sólido de minha vida de pregação. Até essa época, estava tentando encontrar Deus indo de um lugar para outro. Quando evangelistas famosos vinham a minha cidade, corria para ouvi-los a fim de encontrar Deus. Às vezes, ia orar em uma montanha ou em um vale. Procurei Deus em toda parte, mas, depois de encontrar a verdade, não vaguei mais. Tinha encontrado o endereço e a morada de Deus. Digo a meu povo:

— Deus não está longe; ele não é um Deus de 2 mil anos atrás; também não é somente o Deus do futuro. O seu Deus habita em vocês com todos os seus recursos, poder e autoridade; o endereço dele é seu coração. Por isso, podem falar com ele e orar a ele todos os dias e a qualquer hora. Podem tocá-lo e receber seus recursos mediante a oração e a fé. Quando clamam em voz alta, Deus ouve. Quando falam suavemente, Deus ouve. Quando meditam, Deus ouve, pois mora dentro de vocês e pode suprir todas as suas necessidades.

Depois da guerra da Coreia, quando os missionários saíram a fazer a obra do Senhor, assisti a muitas reuniões em missões. A maioria dos pastores coreanos tinha todo tipo de projetos diferentes. Queriam construir igrejas, edificar institutos bíblicos. Discutiam muito a maneira de solucionar seus problemas. Mas nem bem começavam a falar de finanças, diziam:

— Para tal coisa, será melhor que venha um missionário que se encarregue disso.

Para eles, os missionários não passavam de financistas.

Senti muita pena e disse-lhes:

— Irmãos, por que vocês sempre se voltam para os missionários?

Eles responderam:

— Porque Deus sempre nos envia dinheiro por meio dos missionários, e não por meio de nós mesmos.

Entretanto, desde o dia em que me formei no instituto bíblico, decidi fazer de Deus minha fonte única. Descobri que Deus habitava meu coração com todos os recursos necessários. Descobri a maneira de receber os recursos de Deus e, ao longo de anos e mais anos de ministério, jamais dependi de qualquer outra pessoa.

Já atravessei o oceano Pacífico mais de quarenta vezes a fim de pregar em outros países. Nunca pedi nem um centavo de igreja alguma. Gostaria de expressar meu agradecimento pelo envio de missionários à Coreia, mas jamais pedi ajuda financeira de igrejas fora de meu país.

Sempre dependi de Deus, e, em todas as circunstâncias, ele supriu as minhas necessidades: na construção do nosso templo, no envio de missionários de nossa igreja a outros países, na construção do instituto bíblico.

Para a construção do nosso novo instituto bíblico das igrejas assembleias de Deus coreanas, minha igreja contribuiu com meio milhão de dólares. Deus, de fato, supre todas as nossas necessidades.

O DESAFIO

Desejo imprimir em seu coração o fato de que você possui os recursos de que precisa dentro de você neste instante — não amanhã, não ontem, mas neste instante; você possui Deus habitando dentro de você. Deus não está dormindo dentro de você. Deus não vem só para acampar e passar férias. Deus está aí para operar a salvação. E ele jamais opera a não ser mediante sua visão, sua fé. Você é o canal.

Você pode dizer: "Ó Deus, por favor, opera misteriosamente no Universo e faze todas as coisas".

Deus responderá: "Não! Habito em você. Jamais me apresentarei ao mundo com poder a não ser que me manifeste por meio de sua vida".

Você é o canal e tem toda a responsabilidade. Se não desenvolver sua maneira de crer a fim de cooperar com Deus, ele será limitado. Deus será tão grande quanto você permitir que ele seja. Ele também será tão pequeno quanto você o obrigar a ser.

Quando os pecadores vêm a Jesus, alquebrados e infelizes, primeiramente lhes ensino que Deus habita em seu interior e que possuem todo o recurso em Jesus Cristo. Em seguida, procuro reeducá-los para que desenvolvam seu coração a fim de cooperar com Deus. Todos, sem exceção, retiram-se com nova fé e levam uma vida milagrosa e vitoriosa.

Como é que essas pessoas, se fossem realmente pobres e fracassadas, seriam capazes de dar mais de 20 milhões de dólares a sua igreja de 1969 a 1977? Todos os anos, damos cabo de nossos projetos, que geralmente custam de 1 milhão e meio a 2 milhões de dólares. Esses membros podem dar porque foram enriquecidos e são sucessos tremendos porque sabem como obter recursos da Fonte. Mas primeiro devem ser purificados dos pecados da carne.

A maioria das pessoas luta com quatro pecados da carne, os quais devem ser vencidos antes que o cristão seja capaz de operar ativamente com Deus. Quem não se livrar desses pecados ficará com o canal de comunicação com o Senhor tão entupido que Deus não terá a oportunidade de fluir através deles. Descobri esses pecados ao longo dos anos de meu ministério de aconselhamento.

O PECADO DO ÓDIO

As pessoas sofrem por causa do ódio, o primeiro pecado que examinaremos. Se conservar o ódio em seu coração, Deus jamais poderá fluir através de você. E esse ódio, esse espírito não perdoador, será o inimigo número um de sua fé. Cristo Jesus destaca esse fato em Mateus 6.14,15: “Pois se perdoarem as ofensas uns dos outros, o Pai celestial também lhes perdoará. Mas se não perdoarem uns aos outros, o Pai celestial não lhes perdoará as ofensas”.

Depois de pregar o quarto sermão no domingo de manhã, fico tão cansado que não desejo ver ninguém. Se alguém deseja falar comigo, primeiro tem de passar por minhas secretárias. Elas examinam cuidadosamente os pedidos. Se alguém consegue chegar a minha porta é porque está em grande necessidade.

Certo dia, depois de meu quarto sermão, um senhor bateu à porta de meu escritório.

Abri a porta, e ele entrou. Pensei que estivesse bêbado, porque andava cambaleando. Sentou-se e tirou algo do bolso, um punhal afiado; fiquei atemorizado. Pensei: "Como é que as secretárias deixaram esse homem entrar aqui? Ele carrega um punhal e assim mesmo o deixam entrar?".

Estava realmente assustado, e, quando ele empunhou a arma, preparei para defender-me, dizendo:

— Não use essa faca. Diga-me por que veio aqui.

Respondeu ele:

— Senhor, vou me matar. Mas primeiro vou matar minha esposa, meu sogro, minha sogra e todos os que se encontrarem a meu redor. Um amigo meu aconselhou-me a vir assistir a um de seus cultos antes de fazer todas essas coisas. Vim e assisti ao quarto culto. Escutei com atenção, mas não pude entender palavra alguma por causa de seu forte sotaque provinciano sulista. Não consegui entender seu sotaque nem compreender coisa alguma do que o senhor disse. De modo que, depois de ouvir o que tem a dizer, vou sair para realizar todos os meus planos. Estou morrendo. Tenho tuberculose, por isso fico com acessos de tosse o tempo todo. Estou morrendo...

— Acalme-se — disse-lhe. — Sente-se aqui e conte-me sua história.

— Bem — respondeu ele — durante a última etapa da Guerra do Vietnã, servi como mecânico e dirigia um buldôzer. Trabalhei em todas as linhas de frente construindo trincheiras e estradas, arriscando a vida a fim de ganhar mais dinheiro. Enviava todo o dinheiro para minha mulher, e, quando a guerra acabou, mal tinha o suficiente para sair de lá.

— Mandei-lhe um telegrama de Hong Kong e esperava vê-la com as crianças no aeroporto de Seul. Mas, ao chegar lá, não vi nem sombra delas. Pensei que talvez não tivessem recebido meu telegrama, mas, quando voltei correndo para casa, descobri estranhos morando lá.

— Soube então que minha mulher fugira com um jovem. Ela me deixou, levando todas as minhas economias. Morava em outra parte da cidade. Fui até lá e implorei que voltasse para mim, mas se negou peremptoriamente.

— Fui ver meu sogro e minha sogra a fim de expor-lhes o caso. Deram-me 40 dólares e me escorraçaram de sua casa. Em menos de uma semana, senti um ódio ardente em meu coração e comecei a vomitar sangue. Agora a tuberculose acaba comigo rapidamente e não tenho esperança alguma. Vou destruí-los, um a um, e em seguida me matarei.

— Cavalheiro — ponderei — essa não é a maneira de fazer vingança. A melhor maneira de se vingar é encontrar um novo emprego, construir um lar mais lindo e melhor e mostrar a eles do que é capaz. Dessa maneira, realmente se vingará. Mas matá-los e depois matar a si mesmo não lhe trará satisfação alguma.

— Odeio todos eles! — exclamou o homem.

— Enquanto os odiar, vai se destruir — asseverei. — O ódio destrói mais a pessoa que odeia do que aos outros. Por que não experimenta Jesus? — perguntei. — Quando Jesus entra no coração de alguém, todo o poder de Deus passa a habitar na pessoa. O poder de Deus fluirá através de você. Deus vai tocá-lo, cuidar de sua vida e restaurá-la. Você será capaz de reconstruir sua vida, e isso seria sua verdadeira vingança contra seus inimigos.

Enviei-o à Montanha da Oração, onde aceitou a Jesus Cristo como seu Salvador pessoal. Contudo, não conseguia perdoar de todo sua esposa. Pedi-lhe, pois, que abençoasse a esposa.

— A melhor maneira de perdoar sua esposa é abençoá-la. Abençoe-lhe o espírito, a alma, o corpo e a vida. Ore para que Deus abra as portas dos céus e derrame bênçãos sobre ela.

— Não posso abençoá-la! — exclamou ele. — Não a amaldiçoarei, porém não a abençoarei!

Respondi:

— Se não a abençoar, não será curado. Ao abençoar, as bênçãos começam a vir primeiro sobre sua vida, e vai aproveitar mais essas bênçãos do que ela. Temos um ditado que diz: "Se deseja sujar o rosto dos outros com barro, terá primeiro de sujar as mãos". Assim, se amaldiçoar sua mulher, a maldição primeiro terá de sair de sua boca, e você será amaldiçoado primeiro. Mas, se abençoar sua esposa, a palavra de bênção procederá de seu coração, saindo-lhe pela boca, e você será abençoado primeiro. Assim, vá em frente e abençoe sua esposa!

Ele começou a abençoá-la. Em princípio, por entre os dentes. Orou: "Ó Deus, abençoa... minha mulher. Abençoa-a... E... dá-lhe a salvação. Ó Deus, dá-lhe... a bênção".

Ele continuou a abençoá-la e, em menos de um mês, ficou completamente curado da tuberculose, e sua vida foi transformada. O poder de Deus começou a emanar dele, e sua face brilhava.

Ao encontrá-lo, um mês mais tarde, ele exclamou, animado:

— Oh, pastor Cho, regozijo-me no Senhor! Louvo a Deus porque agora realmente aprecio de verdade minha esposa. Foi por ela ter-me deixado que encontrei Jesus. Oro por ela todos os dias. Renovei minha licença para dirigir tratores. Tenho um novo emprego; estou construindo um novo lar e espero que minha esposa volte para mim.

Esse homem louvava ao Senhor. Passou a reconstruir sua vida pelo poder de Deus que emanava de si. Estava curado no espírito e no corpo.

Se você não se livrar de seu ódio, não poderá entrar em contato com o Senhor. Ao sair para pregar o evangelho, deve ajudar as pessoas a compreender isso.

Certo dia, uma professora veio me ver. Ela era diretora de uma escola e sofria de artrite. Tinha ido a todos os hospitais, mas não fora curada. Impus as mãos sobre ela, orei, repreendi a doença, gritei, fiz tudo o que podia, mas Deus não a tocou.

Muitas pessoas tinham sido curadas na igreja, mas, a despeito de tudo, ela não era curada. Afinal, comecei a desistir. Mas, certo dia, o Espírito Santo disse: "Não grite. Ore e repreenda. Não posso fluir através dela porque ela odeia o ex-marido".

Eu sabia que ela se tinha divorciado dez anos antes. Um dia, quando ela estava sentada à minha frente, eu disse:

— Irmã, por favor, divorcie-se de seu marido.

Ela olhou para mim e respondeu:

— Pastor, o que o senhor quer dizer com divorciar-me de meu marido? Nós estamos divorciados há mais de dez anos.

— Não, não estão — respondi-lhe.

— Oh, sim! — insistiu ela.

— Sim — respondi — é claro que estão, legalmente. Mas mentalmente nunca se divorciou dele. Você o amaldiçoa todas as manhãs. Todos os dias, você o amaldiçoa e odeia; em sua imaginação, nunca se divorciou de seu marido. Em sua mente, ainda vive com ele, e esse ódio está destruindo e secando seus ossos. Por causa disso, sua artrite não tem cura. Médico algum poderá curá-la.

Retorquiu ela:

— Mas ele me causou tanto prejuízo! Quando me casei com ele, nunca arrumou um emprego. Esbanjou todo o meu dinheiro. Destruiu minha vida e depois foi viver com outra mulher. Como posso amá-lo?

— Amá-lo ou não é decisão sua — respondi — mas, se não o amar, morrerá de artrite. A artrite somente será curada pelo poder de Deus. O poder de Deus jamais cairá do céu como um meteoro a fim de tocá-la e de curá-la.

— Não! — continuei. — Deus habita dentro de você, e ele vai emanar de seu interior e curá-la. Mas seu ódio impede o fluxo do poder de Deus. Por favor, comece a bendizer seu marido. Bendiga seu inimigo e faça o bem a ele. Assim, aprenderá a amá-lo e criará um canal pelo qual o Espírito de Deus vai fluir e tocá-la.

Aquela mulher tinha o mesmo problema do homem que sofria de tuberculose. Chorando, ela disse:

— Não consigo amá-lo. Pastor, por favor, perdoe-me. Não o odiarei, mas não o amarei.

— Você não pode parar de odiá-lo se não o amar — respondi. — Veja seu marido por meio da imaginação. Toque-o, diga-lhe que o ama e que o abençoa.

Uma vez mais, ela relutava. Então, fiz uma oração por ela. Ela chorava cerrando os dentes. Mas, afinal, começou a sentir amor por ele e, orando, pediu a Deus que o abençoasse, que o salvasse e que lhe desse todas as boas coisas. O poder de Deus começou a fluir através dela, e ela foi tocada. Em menos de três meses, foi liberta da artrite.

Sim, Deus habita em você. Mas, se você não se livrar do ódio, esse arqui-inimigo, o poder de Deus não poderá fluir por seu intermédio.

O PECADO DO MEDO

Muita gente vive cheia de temor. É nossa responsabilidade como cristãos ajudar essas pessoas a livrar-se desse medo, o segundo pecado nesse grupo de quatro.

Também já sofri de tuberculose. Sofri de tuberculose porque estava constantemente vivendo sob o temor da tuberculose. No ensino médio, eu tinha uma aula na qual deveria lidar com garrafas cheias de álcool em que havia ossos e intestinos humanos. A simples visão dessas garrafas enchia-me de pavor.

Certa manhã, o professor de biologia falava sobre a tuberculose. Naquela época, não havia medicamentos eficazes, e o professor disse que, se contraíssemos tuberculose, estaríamos perdidos, e nossos intestinos teriam a aparência dos que estavam naquelas garrafas para o resto de nossa vida.

Falou dos perigos da tuberculose e, no final da aula, disse:

— Há pessoas que nascem com tendência para a tuberculose. Homens com ombros estreitos e pescoço comprido são mais propensos a contrair tuberculose.

Todos os alunos começaram a esticar o pescoço e a medi-lo, como se fossem cegonhas. Olhando para meus companheiros, vi que eu tinha o pescoço mais comprido de todos. Imediatamente, tive o pressentimento de que contrairia tuberculose. O temor oprimia-me o coração. Quando voltei para casa, olhei-me no espelho. Medi o pescoço a tarde toda. O medo invadiu-me, e comecei a viver sob o agudo temor da doença.

Quando completei 18 anos de idade, contraí tuberculose. O semelhante atrai o semelhante, e o igual produz seu igual. Se a pessoa tiver medo, o Diabo tem um canal aberto pelo qual atingi-la; temor é fé negativa. De modo que, como eu tinha medo da tuberculose, contraí tuberculose e, à medida que vomitava sangue, dizia a mim mesmo: "Sim, eu sabia, aconteceu justamente como eu esperava...".

Li em certo periódico médico da Coreia que muita gente morre por hábito. Pensei comigo mesmo: "Como é que a gente pode morrer por hábito?". Em seguida, reli o artigo.

Esses médicos, não cristãos, falavam do importante papel que o medo tem em nossa vida. Por exemplo, um homem de apenas 50 anos de idade, já avô, morreu por causa de hipertensão. Seu filho, chegando aos 50 anos, também morreu em consequência de hipertensão. Agora, o neto vive em constante temor de morrer do mesmo problema.

Ao chegar aos 50 anos de idade, no instante em que sentir alguma tontura, ele há de pensar: "Ah, isso é um ataque cardíaco". Se sentir alguma dor no peito, espera imediatamente outro ataque. Vive cada dia com esse temor e essa expectativa. O medo cria essa situação em seu corpo, e logo ele há de morrer de um ataque cardíaco.

Muitas mulheres morrem por causa de medo do câncer. Como diria certa mulher:

— Bem, minha tia morreu de câncer, minha mãe morreu de câncer, de modo que, com toda a certeza, também morrerei de câncer.

Quando essa mulher chegar à idade com a qual sua tia e sua mãe faleceram e sentir qualquer tipo de dor, vai acabar dizendo:

— Ah, isso é câncer. Certamente chegou minha hora...

Ela vai esperar por isso todos os dias, dizendo a si mesma que vai sofrer de câncer, e repetirá esse pensamento muitas vezes. É disso que os médicos falavam quando diziam que as pessoas morrem por hábito. Se a pessoa tiver um temor específico, o poder da destruição começará a fluir.

Em 1969, quando Deus me pediu que renunciasse ao pastorado de minha segunda igreja, eu tinha 10 mil membros batizados e uma assistência regular de 12 mil pessoas. Vivia feliz, sentia-me bem e satisfeito. Tinha uma linda casa, uma esposa maravilhosa, filhos, carro do último modelo e até chofer. Então, eu disse: "Deus, vou ficar nesta igreja até que meus cabelos se tornem brancos".

Mas, certo dia, enquanto orava em meu escritório, o Espírito Santo veio e disse: "Cho, seu tempo aqui terminou. Você deve se preparar para mudar".

"Oh, Senhor", disse eu, "mudar? Dei início a outra igreja antes, e esta já é a segunda que fundei e construí. O Senhor deseja que eu vá abrir um terceiro trabalho? Por que deve ser sempre eu quem dá início a novas obras? Estás escolhendo a pessoa errada. Diga a outro que vá".

Assim comecei a discutir com o Senhor.

Ninguém, entretanto, deve argumentar com Deus, porque ele sempre tem razão. Finalmente, Deus me persuadiu, dizendo: "Você deve ir e edificar um templo com espaço para 10 mil pessoas. Uma igreja que envie pelo menos 500 missionários".

"Pai", repliquei, "não posso fazer isso. Tenho pavor mortal de edificar um prédio desse tamanho".

Mas Deus disse: "Não. Digo-lhe que vá, e você tem de ir".

Consultei um construtor acerca dos custos. Disse-me ele que, por alto, iria precisar de pelo menos 2 milhões e meio de dólares só para o edifício. Para o terreno, precisaria de outro meio milhão, e para o terreno contíguo, a fim de construir o complexo de apartamentos, outros 2 milhões. No total, nada menos que 5 milhões de dólares.

Perguntou-me quanto dinheiro eu tinha. Disse-lhe que possuía 2.500 dólares. Ele olhou para mim estupefato, sacudiu a cabeça e não disse nada.

Em seguida, fui a uma reunião dos anciãos da igreja e contei-lhes o plano. Certo ancião disse:

— Pastor, quanto dinheiro o senhor vai conseguir nos Estados Unidos?

— Nem um centavo — respondi.

Disseram:

— O senhor é um bom homem, um pastor genuíno, mas não é homem de negócios. Não é assim que se constrói um templo e um complexo de apartamentos.

Assim, reuni meus 600 diáconos. Quando lhes contei o plano, começaram imediatamente a agir como coelhos assustados, como se eu fosse impor-lhes um tributo de sangue.

Senti-me desnorteado. Estava cheio de medo. Fui ao Senhor.

"Senhor, ouviu todas as palavras dos anciãos e dos diáconos. Estão todos de acordo, de modo que o Senhor tem de pensar sobre esse assunto de novo".

Em seguida, o Espírito falou a meu coração:

"Filho, quando foi que lhe pedi que fosse falar com os anciãos e com os diáconos?"

"Eu não devia?" perguntei.

O Espírito respondeu: "Mandei que construísse um templo, não que o discutisse. Essa é minha ordem".

Levantei-me, dizendo: "Sim, se essa é sua ordem, vou cumpri-la".

Fui à prefeitura e comprei a crédito um terreno de quase dois mil metros quadrados no bairro mais caro da cidade, situados em frente do edifício do Congresso, um dos lugares mais cobiçados de toda a Coreia. Depois, fui ao construtor e assinei um contrato com ele para a construção do templo e do complexo de apartamentos, tudo a crédito. Pensei com meus botões: "Eles construirão o templo. Eu confiarei em Deus e verei o que acontece".

No dia em que começaram as obras, fizemos um culto especial. Finalizado o culto, fui ver como as coisas andavam. Achei que os operários abririam umas poucas valas, começariam a colocar o cimento para os alicerces e que em pouco tempo o edifício estaria terminado. Mas havia dúzias de buldôzeres trabalhando e cavando a terra como se fossem fazer um lago.

Fiquei louco de medo e perguntei: "Pai, o Senhor viu como esses homens estão cavando? Terei de pagar por tudo isso? Não posso".

Fiquei paralisado de medo. Meus joelhos começaram a tremer. E, pela imaginação, me vi sendo levado num carro da polícia. Ajoelhei-me e orei: "Oh, Deus, que posso fazer? Onde devo me enfiar? Onde o Senhor está? Sei que é o recurso total e coloco minha confiança no Senhor".

Enquanto orava, tive uma visão de Deus trabalhando, e o medo me deixou. Quando abri os olhos e de novo vi as obras, voltei a sentir-me cheio de medo. Por isso, durante o tempo que a construção durou, vivi mais com os olhos fechados do que abertos.

O mesmo princípio é verdadeiro em muitas situações. Se olhar para as circunstâncias com seus olhos e com seus sentidos, Satanás o destruirá com o medo. Mas, se fechar os olhos e olhar para Deus, poderá crer.

Há dois tipos diferentes de conhecimento: conhecimento sensório e conhecimento revelado. Devemos viver pelo conhecimento revelado encontrado do Gênesis ao Apocalipse, não por nosso conhecimento sensório.

Devemos instruir as pessoas a desistir do temor do seu ambiente e de suas circunstâncias. Se não o fizerem, não poderão desenvolver a fé nem Deus fluirá através delas. Peça-lhes que entreguem seus temores ao Senhor; ensine-lhes a colocar sua fé somente na Palavra de Deus.

O PECADO DA INFERIORIDADE

Muita gente é cheia de complexos de inferioridade e vive constantemente frustrada. Esse sentimento de inferioridade é a terceira área problemática que discutirei.

Ninguém será capaz de ajudar quem se sente inferiorizado por viver numa favela. Talvez alguém tenha fracassado nos negócios e se resignado à situação de falência. Enquanto a pessoa tiver tais atitudes, não será possível ajudá-la. Peça que cada um entregue seu complexo de inferioridade a Deus e se permita ser reconstruído pelo amor de Deus.

Certo dia, um menino matou o irmão menor com uma faca. A notícia causou comoção imediata. O que aconteceu foi que os pais amavam o menino falecido com grande ardor. Constantemente o elogiavam na presença do irmão maior. O irmão maior começou a sentir-se desprezado e inferior. Um dia, quando os pais estavam fora, o irmão menor chegou da escola, e o mais velho o matou. O complexo de inferioridade é muito destrutivo.

Uma vez, sofri de complexo de inferioridade. Depois de lutar durante dois anos em meu primeiro trabalho pioneiro, a igreja começou a crescer. Mas era uma igreja muito barulhenta, uma verdadeira igreja pentecostal. Muita gente recebia o batismo no Espírito Santo, e muitos eram curados de diversas doenças. Certo dia, o executivo principal de nossa denominação mandou chamar-me. Nessa época, eles estavam a meio caminho entre os pentecostais mais ardorosos e os presbiterianos mais conservadores.

— Você está mesmo orando pela cura de enfermos — perguntaram-me — e deixando que as pessoas gritem e falem em outras línguas em seus cultos?

— Sim — respondi.

— Você é um fanático! — asseveraram.

— Não sou fanático. Faço tudo de acordo com o ensino bíblico — defendi-me.

Depois de discutirem o assunto, cassaram minha licença ministerial e me mandaram embora. Fui expulso de minha própria denominação. Depois de algum tempo, o missionário John Hurston veio e me reconduziu a ela.

Ao ser expulso, fui atingido por sentimentos de inferioridade. Esse complexo de inferioridade produziu em mim um sentimento de destruição. Foi difícil sair dessa situação.

Na época em que os membros da Comissão Executiva me expulsaram, entretanto, não sabiam que, um dia, eu me tornaria superintendente geral dessa mesma denominação. Foi um cargo que ocupei até recentemente. Quando fui eleito para esse cargo, tínhamos somente 2 mil membros. Aplicando as leis da fé e ensinando-as aos pastores, tivemos um rápido crescimento. Quando pedi demissão do cargo, as estatísticas revelaram que a denominação contava com um total de 300 igrejas com mais de 200 mil membros.

Devemos lidar com os que se sentem incapazes de vencer na vida. Devemos tirá-los de sua depressão e pessimismo. Edificá-los no amor de Jesus Cristo e dar-lhes fé, dizendo-lhes que nada é impossível ao que crê. Devemos curá-los e treiná-los. Logo eles se desfarão de seu sentimento de inferioridade.

Certo domingo de manhã, enquanto pregava no segundo culto, vi um homem que eu sabia estar mentalmente doente. Ele foi trazido com os pés e as mãos amarrados. Nesse dia, estávamos fazendo um compromisso para terminar com êxito a quinta etapa da construção. Muitas pessoas estavam preenchendo cartões de compromisso. Quando esse homem recebeu um cartão, ele o preencheu com a quantia de 100 dólares.

Sua esposa riu quando os diáconos passaram para recolher as ofertas.

— Não acredite nele — disse ela. — Ele está louco.

Mas depois do culto, quando fui falar com ele, estava completamente curado pelo poder do Espírito Santo. Havia recobrado o juízo e estava plenamente consciente do que fazia e dizia. Tinha sofrido de um profundo complexo de inferioridade. Explicou:

— Eu era proprietário de uma fábrica de fertilizantes, mas fui à falência. Fiquei tão preocupado que perdi a razão. Então me levaram para um hospital psiquiátrico, onde recebi uma série de eletrochoques. Mas nunca me curaram. Enquanto estava sentado ali ouvindo suas palavras, subitamente saí de meu estado mental e tive consciência da realidade. Perdi meus amigos, meu prestígio e meu crédito. Tenho uma montanha de dívidas. Não posso fazer nada. Não sou ninguém.

— Você é alguém sim! — asseverei-lhe. — Não é inferior. Você veio a Jesus, e agora todo o poder de Cristo e todos os seus recursos residem em você. Você é um homem de Deus. Levante-se em vitória! Tem dentro de si todo o poder e todos os recursos de Deus esperando para ser liberados.

— Que tipo de trabalho posso fazer? — perguntou-me.

— Não sei — respondi — mas continue a ler a Bíblia e a orar.

Certo dia, ele voltou, cheio de entusiasmo.

— Pastor, li o versículo da Bíblia que diz que somos o sal da terra e a luz do mundo. Que lhe parece se eu entrar no negócio de vender sal a varejo?

— Se acredita nessa ideia, vá em frente — respondi. — Faça isso!

Ele foi e começou a vender sal em pequena escala. Entregou seus dízimos. Honrou o compromisso que tinha assumido na igreja e se alegrava muito no Senhor. Deus começou a abençoá-lo, e seu negócio de vender sal prosperou muito. Com o passar do tempo, ele construiu um grande armazém à beira do rio, onde investiu um capital de 50 mil dólares em sal.

Mas, certa noite de verão, choveu torrencialmente. Pela manhã, quando me levantei, a área toda estava inundada. O armazém dele ficou alagado. Fiquei apreensivo. Nessa tarde, depois que a chuva parou, corri à casa dele.

Outros artigos e materiais podem ser recuperados depois de uma inundação, mas o sal é muito amigo da água. Ao entrar em seu armazém, vi que todo o sal tinha desaparecido. O homem, agora ancião de minha igreja, estava sentado no meio do depósito, cantando e louvando a Deus. Entrei, sem saber se ele estava em perfeito juízo ou não. Cheguei-me a ele e perguntei:

— Você está bem ou está louco?

— Pastor, estou perfeitamente bem — sorriu ele. — Não estou louco. Não se preocupe. Perdi tudo. Deus levou embora. Mas como o senhor sempre diz, os recursos todos estão dentro de mim. A água pode ter levado o sal, mas não pode desfazer os recursos da presença de Deus que em mim habita. Posso fazer brotar esses recursos novamente pela fé e pela oração. Espere só. Dê-me tempo. Levantarei meus negócios de novo.

Já não sofria de nenhum complexo de inferioridade. Estava cheio de confiança. Hoje ele é multimilionário e continua a vender sal. Também começou a fabricar relógios e tem uma fábrica própria. Já me acompanhou a Los Angeles, a Vancouver e a Nova York. Tempos atrás, fez uma viagem à Europa.

Esse homem é somente um exemplo de como podemos ajudar as pessoas a se livrarem de seus sentimentos de inferioridade, dando ênfase a todos os recursos de Deus que estão à sua disposição.

O PECADO DA CULPA

Muita gente sofre de sentimentos de culpa. Esse é o quarto problema que deve ser vencido antes que o cristão possa trabalhar ativamente para Deus. Enquanto a pessoa sofrer de culpa, Deus jamais fluirá através dela.

Precisamos ajudar as pessoas a se livrarem de seus sentimentos de culpa. Precisamos fazê-las compreender que, quando se sentem indignas e cheias de culpa, simplesmente podem ir ao Senhor, e ele as limpará.

Certo dia, estava em meu escritório quando entrou um lindo casal. O homem era muito elegante, e a esposa, uma senhora adorável. Embora essa adorável senhora tivesse apenas uns 30 anos de idade, parecia envelhecida, acabada e mal podia abrir os olhos.

O marido disse:

— Pastor, minha mulher está morrendo. Já tentei de tudo: psicologia, psiquiatria e todos os remédios imagináveis. Sou rico.

Já gastei milhares e milhares de dólares com ela, mas os médicos nada puderam fazer. Agora a desenganaram. Ouvi dizer que o senhor realmente tem ajudado muita gente e que muitos foram curados.

Disse-lhe que isso era verdade e olhei para ela procurando o discernimento e a sabedoria sobre o que ela precisava nessa situação. Orei silenciosamente: "Senhor, ela veio até aqui. Agora o que faço?".

Imediatamente, a voz suave de Deus falou: "Ela sofre de uma doença psicossomática. Não é uma doença orgânica; é mental". Pedi que o marido saísse do escritório e, olhando para a mulher, disse:

— A senhora deseja viver? Precisa viver, pelo menos por causa de seu marido. Se a senhora queria morrer, deveria ter feito isso antes, pois já tem três filhos hoje. Se morrer agora, deixando os filhos para seu marido cuidar, realmente atrapalhará a vida dele. Portanto, de uma maneira ou de outra, é preciso que a senhora viva para seu marido e para seus filhos.

— Gostaria de viver — disse-me ela.

— Então posso ajudá-la, mas somente com uma condição. Deve contar-me sua vida passada — respondi.

Ela se aprumou na cadeira e, com ira nos olhos, respondeu:

— Será que estou na delegacia de polícia? O senhor é um ditador? Por que me pede isso? Isso não é um interrogatório, e não tenho de revelar meu passado.

— Então não poderei ajudá-la — respondi. — Se a senhora persistir nessa atitude, vou pedir a Deus que me revele diretamente as áreas problemáticas de seu passado.

Ela ficou espantada e, tirando um lenço da bolsa, começou a chorar. Depois de um longo suspiro, disse:

— Pastor, vou revelar meu passado, mas não acho que seja esse meu problema.

— Sim, é — disse eu. — Essa é a causa de seus problemas.

— Meus pais morreram quando eu era bem jovem, e praticamente fui criada por minha irmã mais velha. Ela era como uma mãe para mim, e meu cunhado, como um pai. Tomaram conta de mim, e morei com eles durante meu tempo de estudos, desde o ensino fundamental até a faculdade.

— No meu terceiro ano de faculdade, minha irmã foi para a maternidade a fim de dar à luz seu último filho. Durante o tempo que ela esteve lá, tomei conta da casa e das crianças. Sem me dar muito conta do que estava acontecendo, meu cunhado e eu nos apaixonamos.

— Não sei o que aconteceu comigo, mas tivemos um relacionamento imoral. Logo a culpa alojou-se em meu coração. Desse momento em diante, morri de culpa. Mas meu cunhado continuava a me telefonar de seu escritório, e constantemente nos encontrávamos em motéis, hotéis e estações de água.

— Fiz vários abortos e, ainda assim, não conseguia recusar os convites de meu cunhado. Morria de medo de minha irmã descobrir, por isso meu cunhado me intimidava continuamente. Estava me destruindo aos poucos.

— Ao me formar, decidi que me casaria com o primeiro homem que me propusesse casamento. Encontrei um emprego, e o jovem que agora é meu marido pediu-me que me casasse com ele. Nada perguntou de meu passado. Aceitei, porque assim me afastaria de meu cunhado. Casei-me com ele, e, com o passar do tempo, ele se tornou muito rico. Demitiu-se de seu antigo emprego e começou seu próprio negócio. Agora está rico. Temos um bom lar, dinheiro, tudo.

— Mas, desde o dia que tive aquele relacionamento com meu cunhado, tenho sofrido desse forte sentimento de culpa. Sempre que tenho relações com meu marido, sinto-me como se fosse uma prostituta. Não tenho o direito de receber seu amor. Por dentro, choro amargamente. Meus filhos são uns anjos. Gostam de me abraçar, dizendo: "mamãe!". Eu me odeio. Sei que sou uma prostituta. Não sou digna de receber esse tipo de amor de meus filhos. Não gosto de ver meu rosto no espelho, e é por isso que me visto de maneira tão desleixada. Perdi o apetite e não sinto nenhuma felicidade nem alegria no coração...

— A senhora deve perdoar a si mesma — declarei. — Tenho uma boa notícia para a senhora. Jesus Cristo veio e morreu na cruz pela senhora e pelos seus pecados.

— Nem mesmo Jesus pode perdoar meus pecados — clamou ela, chorando. — Meus pecados são grandes e profundos demais para serem perdoados. Fiz de tudo. Todo mundo pode ser perdoado, menos eu! Enganei minha irmã e não posso confessar-lhe o que fiz! Isso prejudicaria sua vida toda.

Indaguei silentemente: "Senhor, como posso ajudá-la agora? Ajuda-me".

Em seguida, ouvi um suave cicio em meu coração e, subitamente, me ocorreu uma ideia.

— Irmã, feche os olhos — pedi-lhe, fazendo o mesmo. — Imagine que estamos em um lago lindo e silencioso. Agora estamos assentados à margem do lago. Há muito cascalho a nosso redor. Tenho na mão uma pedrinha de cascalho. Por favor, apanhe uma pedra grande. Vamos jogar o cascalho e a pedra dentro do lago. Vou jogar primeiro. Seguro a pedrinha e jogo-a no lago. Ouviu o barulho da água? Um leve sonido e umas ondas. Onde está minha pedrinha agora?

— Foi para o fundo do lago — respondeu ela.

— Certo — respondi. — Agora é sua vez. Jogue sua pedra. Sim, a senhora pode jogá-la... muito bem. Qual foi o barulho dela?

— Foi grande e formou grandes ondas — respondeu ela.

— Mas onde está sua pedra? — perguntei.

— No fundo do lago — respondeu ela.

— Bem, parece que ambas as pedras foram para o fundo do lago quando as jogamos. A única diferença foi o ruído e as ondas. A minha fez um barulhinho; a sua produziu um grande ruído. A minha provocou pequenas ondas; a sua, ondas enormes. As pessoas vão para o inferno com pecados pequenos e grandes, pois estão sem Jesus Cristo. E qual é a diferença? O ruído e sua influência na sociedade. Todo mundo precisa do perdão de Jesus Cristo. O sangue de Jesus cura todos os pecados, grandes ou pequenos.

Isso lhe tocou a alma, e ela despertou para a verdade.

— Quer dizer que Deus pode perdoar meus pecados?

— É claro! — respondi.

Ela se afundou na cadeira chorando e tremendo. Tentei encorajá-la, mas ela continuou a chorar. Então, coloquei a mão sobre sua cabeça e a levei a fazer a oração do pecador arrependido.

Depois da oração, quando ela levantou o rosto, vi seus olhos brilhando como estrelas. De sua face, começou a irradiar glória. Ela se levantou, exclamando:

— Pastor, estou salva! Todo o peso que eu carregava desapareceu!

Comecei a cantar, e ela, a dançar. Até esse momento, ela nunca tinha dançado de alegria perante o Senhor, mas nesse dia pulava e dançava, fazendo tanto barulho que o marido escutou e correu para ver o que se passava em meu escritório.

Ao vê-lo, a jovem senhora correu para ele e o abraçou com força. Ela nunca tinha feito isso antes, e seu marido ficou assombrado. Perguntou:

— O que o senhor fez com ela?

— Deus realizou um milagre! — respondi alegremente. Voltando-me para a esposa, disse: — Deve entregar todo o seu coração ao Senhor. Ele fez grandes coisas por você.

Em breve, ela ficou totalmente livre de seu sentimento de culpa. O poder de Deus emanou de seu interior, e ela foi curada por completo.

Os dois, agora, são membros de minha igreja. Toda vez que olho para o rosto dessa senhora, não posso deixar de pensar no amor de Jesus Cristo. Hoje ela não tem doença alguma. Foi completamente curada. Ao livrar-se de seu sentimento de culpa, o poder de Deus pôde fluir.

Irmãos e irmãs em Cristo, neste instante, vocês têm todo o poder de Deus dentro de vocês. Podem recorrer a esse poder para seus gastos, suas roupas, seus livros, sua saúde, seu negócio, tudo!

Quando saírem para pregar o evangelho, não estarão pregando um objetivo vago, uma teoria, uma filosofia ou uma religião humana. Na verdade, estarão ensinando as pessoas a desobstruir um manancial inesgotável de recursos morais e espirituais. Estarão dando Jesus para as pessoas, e, por meio de Jesus, Deus vem e habita em seus corações.

Esta obra foi composta em *Goudy Old Style*
e impressa por Gráfica Expressão e Arte sobre papel
Pólen Bold 90 g/m² para Editora Vida.